AUTOMATA

Rivista di Natura, Scienza e Tecnica del mondo antico
Journal of Nature, Science and Technics in the ancient World

Rivista diretta da A. Ciarallo (*Soprintendenza Archeologica di Pompei*)

Comitato scientifico:
Prof. M. AOYAGI, *University of Tokyo*
Prof. P. GALLUZZI, *Istituto e Museo di Storia della Scienza*, Firenze
Prof. M. HENNEBERG, *University of Adelaide*
Prof. J. RENN, *Max Planck Institut*, Berlin
Prof. D. STANLEY, *Smithsonian Institution*, Washington D.C.

AUTOMATA

Anno I 2006   Fasc. 1

Rivista di Natura, Scienza e Tecnica del mondo antico
Journal of Nature, Science and Technics in the ancient World

«L'ERMA» di BRETSCHNEIDER

Automata, 1
Rivista di Natura, Scienza e Tecnica del mondo antico
Journal of Nature, Science and Technics in the ancient World

Automata : rivista di natura, scienza e tecnica del mondo antico. – A. 1, fasc. 1
(2006)-.—Roma : «L'ERMA» di BRETSCHNEIDER, 2006- . – v. ; 30 cm
Annuale. – Complemento del titolo anche in inglese.
ISSN 1828-9274

CDD 21. 930.05
Archeologia – Periodici
Antichità classiche – Periodici
Scienze – Antichità - Periodici

Sommario

Editoriale

Vi è un gran numero di riviste archeologiche e un numero ancora maggiore di riviste scientifiche, queste ultime, visto il tumultuoso evolversi delle più diverse discipline, necessariamente settoriali: apparentemente, quindi, non si giustifica l'uscita di un ennesimo periodico.

In realtà, soprattutto negli ultimi dieci anni, la distanza tra discipline cosiddette umanistiche e discipline "scientifiche" che ha caratterizzato gran parte del Novecento, si è notevolmente accorciata. I motivi di questa evoluzione sono diversi: da una parte l'archeologia tende ad abbandonare la visione univoca di strumento di conoscenza nel solo ambito storico-artistico, per estenderla agli aspetti della quotidianità del periodo preso in esame, e quindi anche agli aspetti sociali ed economici che ne derivano, dall'altra le esigenze sempre più impellenti di restauro chiamano in causa conoscenze scientifiche e tecniche sempre più sofisticate.

Coloro che si occupano dell'uno aspetto o dell'altro, siano, quindi, essi archeologi o studiosi di discipline tecniche e/o scientifiche non hanno ancora un luogo in cui incontrarsi, che non sia quello occasionale dei convegni che prevedono gli interventi di entrambe: manca cioè un luogo di discussione e di confronto in cui le parti possano reciprocamente aggiornarsi sugli sviluppi delle ricerche nei comuni campi di interesse, ferme restanti le differenti tecniche investigative proprie di ciascuna disciplina.

Confronto che si è sentito necessario non restringere al solo mondo greco-romano: se, infatti, è certamente vero che ogni civiltà è espressione di un percorso storico che le appartiene, è altrettanto vero che essa non va ovviamente giudicata in termini di superiorità o di inferiorità, ma va semplicemente conosciuta; uno dei dati più interessanti che può venire da tale confronto è proprio nell'analisi delle risposte che l'uomo ha dato in tempi remoti e in luoghi diversi alle proprie esigenze.

Nella speranza, quindi, che AUTOMATA diventi un appuntamento atteso e un luogo di incontro per un sempre maggiore numero di studiosi, si ringraziano per la loro disponibilità i membri del Comitato Scientifico della rivista, che ne hanno condiviso lo spirito, l'Editore, che ne ha colto l'importanza e il dott. G. Di Pasquale che ha accettato l'ingrato compito di Capo Redattore con l'augurio che essi possano trarre le più ampie soddisfazioni dall'impegno assunto.

ANNAMARIA CIARALLO

L'origine degli Etruschi
e le recenti acquisizioni della scienza

di
Leonardo Magini

Le nostre teorie possono essere cambiate,
o persino distrutte, nel giro di dieci anni o meno.
Noi stessi perseguiamo questo fine,
continuando le nostre ricerche.
Luigi Luca Cavalli-Sforza

ABSTRACT

Recent research has cast light on the fact that the Etruscans possessed a significant level of scientific knowledge. They had a good understanding of geometry, Phythagorean triples and harmonic relations; they provided Ancient Rome with a calendar based on knowledge of astronomy, rites and myths of an undoubtedly Mesopotamian origin; and in their onomatology of myth, they retained a remarkable concordance with Indo-Iranian lexical heritage.

The new framework for understanding Etruscan culture that has emerged from these discoveries clashes with the autochthonist approach of Italian Etruscology as much as it accords with the immigration-based approach favoured by Etruscologists outside Italy.

Genetic research and DNA is likely to settle the debate once and for all. Genetic research has already identified the "original" heartland of the present-day descendants of ancient Etruscans in Northern Lazio and Southern Tuscany. All that remains is to locate their closest living relatives in areas of the Middle East that were inhabited in ancient times by speakers of Indo-Iranian dialects.

1. LA GEOMETRIA

"Archaeoastronomy – The Journal of Astronomy in Culture" è la più importante rivista al mondo nel settore degli studi sulla "proto-astronomia", chiamando così la lunga, e a volte lunghissima, vicenda culturale che ha preceduto, nelle diverse parti del mondo, le più antiche testimonianze scritte.

Sull'ultimo numero della rivista, Marcello Ranieri, un astrofisico del C.N.R. che da diversi anni si dedica a ricerche di "proto-geometria", ha pubblicato un bellissimo studio sulla più nota e imponente struttura preistorica delle Isole Britanniche, dal titolo *Geometry at Stonehenge*[1]. Con due risultati. Il primo, se si vuole, di puro prestigio: un italiano spiega al pubblico inglese degli aspetti geometrici di un monumento inglese che sono sfuggiti a tutti, esperti inglesi compresi. Il secondo, indubbiamente, di dura sostanza: nell'Inghilterra preistorica – ma non solo lì[2] - qualcuno associa aspetti geometrici e allineamenti astrali (fig. 1) e, in certo modo, anticipa di 1.500-2.000 anni le "sco-

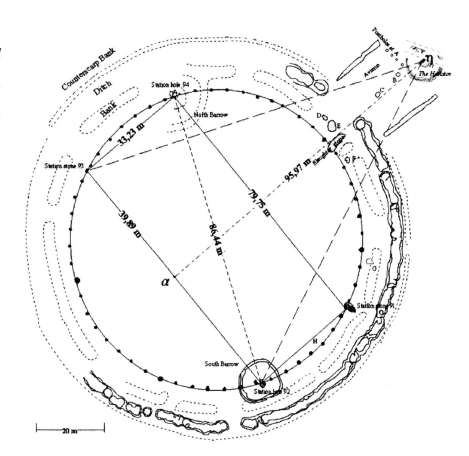

Fig. 1 – La struttura di Stonehenge associa aspetti geometrici e allineamenti astrali: una coppia di triangoli "pitagorici", con altezza in comune, base sull'allineamento Station hole 92-Station hole 93 e vertice su Heelstone, individuano il punto α; l'allineamento punto α-Station hole 94 individua il Nord con l'approssimazione di 0°23' (da Ranieri 2003).

perte" geometriche e astronomiche
che la tradizione occidentale attribuisce a Pitagora. Questa facile (?!)
scoperta mostra, ancora una volta,
come le vicende della storia del pensiero scientifico siano meno sem-
plici di come le si dipinge: troppo
facile limitarsi a ritenere che le cosiddette "terne pitagoriche"[3] siano
state individuate in Mesopotamia e
in Egitto attorno al 1.800 a.C., per
essere studiate sul posto e impor-
tate in Occidente, mille e trecento
anni più tardi, da uno dei primi pen-
satori greci a noi noti.

Tutto ciò entra solo marginalmen-
te nell'oggetto del nostro articolo;
ma serve a segnalare quanto è importante ristudiare il passato con occhi nuovi e quanto inaspettate possono essere le conseguenze di una
tale operazione di "ristudio".

Più direttamente legato al nostro oggetto è un nuovo studio dello stesso Ranieri, *La geometria della pianta del Tempio urbano di Marzabotto*[4]. Senza entrare nel dettaglio, e
senza anticipare i risultati dello studio che andrà letto nella sede naturale, ecco che il tempio dell'Etruria interna di VI secolo, dedicato a
una divinità di cui s'ignora ancora
il nome – ma che quasi certamente
è Giove - mostra anch'esso un livello di conoscenze geometriche e
armoniche perfino superiori a quelle legate al nome del contempora-
neo Pitagora (fig. 2). Come scrive
lo stesso Ranieri: «È degno di nota
il fatto che tutte le proporzioni principali corrispondano a quelle di terne precise e che le partizioni corrispondano a criteri armonici rigorosi. Gli architetti etruschi di Marzabotto dimostrano quindi una raffinata conoscenza delle combina-
zioni numeriche in grado di produrre squadri perfetti e combina-
zioni di figure geometriche rettangolari».

E ora, avendo nominato tanto Pitagora quanto l'Etruria, sarà bene andare a rileggere le parole di un moderno storico della matematica:«Uno
scolio del libro XIII degli *Elementi*
di Euclide riferisce che i pitagorici
conoscevano soltanto tre dei poliedri regolari: il tetraedro, il cubo, e il
dodecaedro. Che avessero familia-
rità con l'ultima figura appare plau-

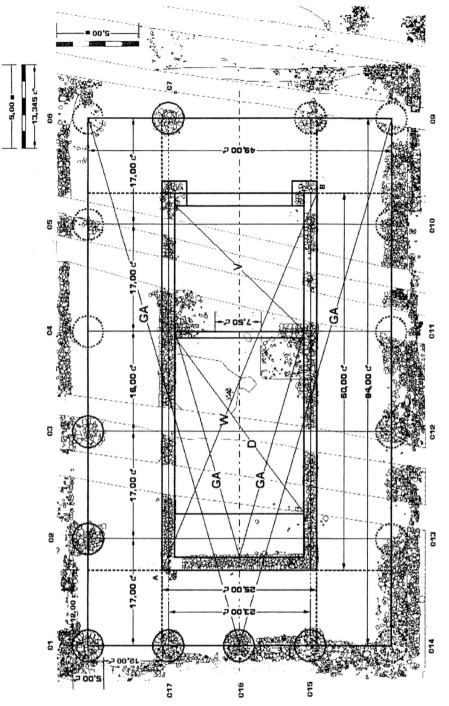

Fig. 2 – Il tempio di Giove (?) a Marzabotto (VI secolo a.C.). Tutte le principali proporzioni corrispondono a quelle di precise terne pitagoriche e tutte le partizioni sono conformi a criteri armonici rigorosi (da Ranieri 2005).

sibile dopo la scoperta presso Padova di un dodecaedro etrusco ri-
salente a prima del 500 a.C.[5]».

Il lettore, anche esperto, non sob-
balzi per la meraviglia, perché non
ha mai sentito parlare di un "dodecaedro etrusco" (fig. 3). Non è il solo; tanto per dire, anche l'autore del
presente articolo, che si occupa di
etruschi da trenta anni, non ne ha
mai trovato traccia in nessuno dei
tanti libri sugli etruschi e/o sui loro

"misteri", reali o presunti, naturali
o artificiali, veri o inventati. Solo
quando l'anno scorso ha iniziato a
studiare un po' di proto-storia della matematica vi si è imbattuto[6].

2. LA SOMMA DI QUADRATI E LE TERNE PITAGORICHE[7]

La tradizione attribuisce al sesto re
di Roma, Servio Tullio (578-535
a.C.), una riforma della costituzio-

ne talmente ben studiata da restare in vigore per più di 500 anni, fino all'età imperiale. Questa tradizione è riferita, più o meno negli stessi termini, da due importanti storici dell'antichità: Tito Livio e Dionisio di Alicarnasso[8].

Nella versione di Dionisio, l'intera popolazione romana è divisa dal re etrusco in sei classi, sulla base delle proprietà del *pater familias*. Così, nella Roma di Servio chi possiede più di 100 mine fa parte della prima classe, chi possiede meno di 100 mine ma più di 75 fa parte della seconda, e via seguitando: chi possiede più di 50 mine fa parte della terza classe, chi ne ha più di 25 della quarta, chi ne ha più di 12,5 della quinta, mentre quanti possiedono meno di 12,5 mine compongono la sesta e ultima classe, quella dei proletari.

A sua volta, ogni classe è divisa in "centurie", e ogni centuria, anche se costituita da un numero di cittadini diverso per le diverse classi, fornisce all'esercito un contingente di 100 uomini. La prima classe conta 80 centurie di fanti, alle quali si aggiungono 18 centurie di cavalieri; la seconda, la terza e la quarta classe contano ciascuna 20 centurie, alle quali si aggiungono 2 centurie di fabbri e carpentieri unite alla seconda classe e 2 di trombettieri e suonatori unite alla quarta; la quinta classe conta 30 centurie; la sesta classe, composta dai restanti cittadini, conta una sola centuria. (cfr. Tabella 1). In totale – riepiloga Dionisio – vi sono 6 divisioni che i romani chiamano 'classi'... e le centurie incluse in queste classi ammontano a 193[9].

La costituzione ideata da Servio – spiega ancora il nostro referente - ha una duplice finalità: da un lato, essa fissa la composizione dell'esercito schierato in armi; dall'altro, regola la partecipazione dei cittadini alle votazioni. Dato che: a) ogni centuria vale un voto, indipendentemente dal numero dei componenti; b) al voto sono chiamate, di volta in volta, le classi a partire dalla prima e dai cavalieri; e c) la prima classe e i cavalieri già contano 80 + 18 = 98 centurie - e quindi di-

classi	*capitale = c.* *(in mine)*	*centurie*
I + cavalieri	c. > 100	80 + 18
II	100 > c. > 75	20 + 2
III	75 > c. > 50	20
IV	50 > c. > 25	20 + 2
V	25 > c. > 12,5	30
VI	12,5 > c.	1
totale delle centurie		193

Tab. 1 – La costituzione serviana secondo Dionisio.

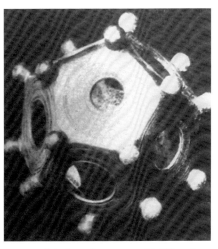

Fig. 3 – Il dodecaedro etrusco del 500 a.C trovato a Padova e oggi al British Museum.

spongono di 98 voti su 193 - ecco che, se questi votano concordemente, la maggioranza è bella e raggiunta. Nel caso contrario, se la prima classe e i cavalieri non votano di comune accordo e i loro 98 voti si dividono tra favorevoli e contrari, allora è chiamata a votare la seconda classe, e poi la terza e la quarta e la quinta, e infine l'ultima; ma questo caso estremo si può verificare soltanto se e quando le 192 centurie delle prime cinque classi si siano divise esattamente a metà, 96 a favore di un provvedimento e 96 contro. Così, solo in questo particolarissimo caso il voto dell'unica centuria della sesta e ultima classe può diventare decisivo; ma, com'è facile intuire e come precisa lo stes-

so Dionisio, "ciò accadeva di rado e era quasi impossibile."

La bibliografia sulla costituzione serviana è sterminata; il dibattito, iniziato già nell'Ottocento, prosegue; gli studi si sommano agli studi[10]; eppure... Eppure – per quanto mi risulta - non uno dei tanti studiosi si è mai chiesto il senso del numero 193. Non saprei dire, ora, se questa era la prima cosa da chiedersi; certo sarebbe stato meglio che non fosse l'ultima.

Perché il fatto è che *193 è un numero "pitagorico"*, che ha la proprietà di essere la somma di due quadrati: 193 è la somma del quadrato di 12 più il quadrato di 7. Nella simbologia matematica: $193 = 12^2 + 7^2$. La proprietà del numero 193 rimanda di nuovo direttamente al teorema di geometria che, nella nostra cultura, continua a prendere il nome da Pitagora: "In un triangolo rettangolo, l'area del quadrato costruito sull'ipotenusa è pari alla somma delle aree dei quadrati costruiti sui cateti". Da qui nasce - ben prima di Pitagora! - la ricerca di quelle "terne pitagoriche" cui si è già fatto cenno, la più piccola delle quali è formata da 3, 4 e 5[11].

Attenzione, però, perché la radice quadrata di 193 è un numero non intero, compreso tra 13 e 14; più precisamente, è un numero che non si può esprimere con un rapporto tra numeri interi, ossia con un numero razionale. Dunque, è un numero irrazionale: √193 = 13,8924439... Ne consegue che il triangolo con cateto maggiore pari a 12, cateto minore pari a 7 e ipotenusa pari a 13,8924439... è un triangolo rettangolo, ma la terna costituita da 12, 7 e 13,8924439... *non* è una terna pitagorica, perché non è composta da tre numeri interi. Fortunatamente, se si dispone di un valore – come 193 – che sia la somma dei quadrati di due numeri interi, c'è un metodo per generare terne pitagoriche con relativi triangoli rettangoli[12]. Applicandolo, si ottiene la "terna pitagorica" 168, 95 e 193, che forma il triangolo rettangolo con cateto *A* pari a 168, cateto *B* pari a 95 e ipotenusa *C* pari a 193; un triangolo che sembra ma non è simile a quello dato dalla terna *non* pitagorica 12, 7 e √193 (fig. 4). In questo triangolo, l'ipotenusa sarà misurata dal numero – 193 - di tutte le centurie previste dalla riforma serviana e il cateto minore dal numero – 95 - della minoranza, perdente, delle centurie delle cinque ultime classi.

Naturalmente, anche la scelta dei numeri - 12 e 7 - che, elevati al quadrato e sommati tra loro, danno 193, sarà tutt'altro che casuale, soprattutto se si considera che 12 è il numero dei segni zodiacali e 7 è il numero dei corpi celesti "erranti" tra le altre mille e mille stelle, tutte fisse[13].

3. I RAPPORTI ARMONICI

Se adesso torniamo a considerare la costituzione serviana, ci accorgiamo di un altro dato sfuggito sinora all'osservazione degli studiosi: che i suoi numeri - tutti quei numeri che delimitano i livelli inferiore e superiore del censo, e quegli altri numeri che contano le diverse centurie delle diverse classi - rispondono ai requisiti richiesti dalla teoria, attribuita anch'essa a Pitagora, dei "rapporti armonici"[14].

La tradizione antica riferisce a questo proposito un aneddoto istruttivo, un aneddoto che ricorda quelli della lampada di Galileo e della mela di Newton: «(Pitagora) passò davanti all'officina di un fabbro e, per sorte in certo senso divina, ebbe a udire dei martelli che battevano il

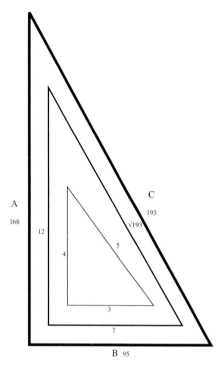

Fig. 4 - I tre triangoli rettangoli: il più esterno nasce dalla terna pitagorica 168 (cateto A), 95 (cateto B) e 193 (ipotenusa C); il mediano dalla terna non pitagorica 12, 7 e √193; il più interno dalla terna pitagorica più semplice 4, 3 e 5. I primi due non sono simili: nel primo 168 ÷ 95 = 1,768421, nel secondo 12 ÷ 7 = 1,7142857.

ferro sull'incudine e davano suoni tutti in perfetto accordo armonico reciproco... In quei suoni egli riconobbe gli accordi di ottava, di quinta e di quarta... entrò nell'officina e, grazie a svariate prove, capì che...[15]».

Aneddoto istruttivo, perché Pitagora vi rappresenta il prototipo dell'uomo di scienza "moderno" (fig. 5), capace di cogliere da un'esperienza del tutto banale e consueta lo spunto per elevarsi alle vette della teoria scientifica e delle sue leggi. In effetti, Pitagora, coi suoi "esperimenti", prima individua i rapporti armonici come rapporti di due numeri interi, e precisamente:
- l'*epitrito* pari a 4/3, che genera l'accordo di quarta;
- l'*emiolo* pari a 3/2, che genera l'accordo di quinta;
- il *doppio* pari a 4/2, che genera l'accordo di ottava;
- il *triplo* pari a 3/1, che genera l'accordo di ottava più quinta;
- il *quadruplo* pari a 4/1, che genera l'accordo di doppia ottava;

- l'*epogdo* pari a 9/8, che genera l'accordo di tono; poi ne ricava una "teoria": «Pitagora rivelò che tutto questo universo è organizzato in base a rapporti musicali e che le sette stelle erranti tra cielo e terra, che regolano le nascite dei mortali, hanno un moto armonico e delle distanze corrispondenti agli intervalli musicali; in rapporto alla propria distanza, ognuna di loro emette suoni diversi, così armonici da creare una melodia soavissima, che però noi non udiamo per l'intensità del suono che la limitatezza delle nostre orecchie non riesce a contenere[16]».

Ma l'aneddoto è notevole anche perché permette di osservare *in nuce* uno di quei casi in cui una visione del mondo "primitiva" anticipa e quasi preconizza con lucidità visionaria le più avanzate teorie della scienza. Per averne conferma, basta confrontare i risultati delle "ricerche" di Pitagora con titolo e sottotitolo di un articolo apparso di recente su *Le scienze, Sinfonia cosmica – Le nuove scoperte sulla radiazione di fondo a microonde dimostrano che l'universo primordiale risuonava di armoniose oscillazioni*[17].

E ora, se confrontiamo i limiti inferiori di censo delle classi serviane (cfr. Tabella 1) con i rapporti armonici pitagorici, notiamo che:
- è di *epitrito* il rapporto tra i limiti inferiori di censo della I e della II classe, rispettivamente 100 e 75;
- è di *emiolo* quello tra II e III classe, rispettivamente 75 e 50;
- sono di *doppio* quelli tra I e III classe, rispettivamente 100 e 50; tra III e IV classe, rispettivamente 50 e 25; e tra IV e V classe, rispettivamente 25 e 12,5;
- è di *triplo* quello tra II e IV classe, rispettivamente 75 e 25;
- sono di *quadruplo* quelli tra I e IV classe, rispettivamente 100 e 25, e tra III e V classe, rispettivamente 50 e 12,5;

e solo l'*epogdo*, tra i sei rapporti armonici individuati da Pitagora, non sembra presente tra i numeri della costituzione serviana.

Non basta, perché i rapporti armonici pitagorici sono presenti anche tra i numeri delle centurie che formano le diverse classi (cfr. ancora Tabella 1); così – un solo esempio per tutti – è di *epitrito* il rapporto tra il numero delle centurie della I classe e quello della somma delle centurie della II, III e IV classe, rispettivamente 80 e 60 = 20 + 20 + 20.

Ne risulta, con tutta evidenza, che l'intera struttura della costituzione serviana è basata sui rapporti armonici cosiddetti "pitagorici"; del resto, lo stesso numero delle classi – 6 – è "il numero della creazione", e la creazione – sempre secondo Pitagora – è un insieme di armoniosi rapporti fondato sull'armonia dei numeri. Così che si può concludere affermando che *la costituzione serviana realizza l'armonia delle sfere sociali in terra* sul modello di quelle celesti.

In definitiva, il Pitagora, che gli studiosi moderni datano tra il 580-570 e il 500 a.C. e che la tradizione antica, pur tra contraddizioni e auto-smentite[18], vorrebbe collegare con il secondo re di Roma, Numa Pompilio (anni di regno 715-673 a.C.), vissuto però "almeno cinque generazioni" prima di lui, sembra aver ispirato piuttosto l'opera del re di Roma che… lo ha preceduto di una sola generazione, Servio Tullio (anni di regno 578-535 a.C.).

Certo, la realtà è più complessa. Le fonti antiche sostengono che «(Pitagora) avrebbe appreso le scienze cosiddette matematiche dagli egizi, dai caldei e dai fenici - perché gli egizi sin dall'antichità si erano occupati della geometria, i fenici della scienza dei numeri e del calcolo, i caldei dell'osservazione della volta celeste. Le cerimonie del culto divino e ogni altra abitudine di vita – a quanto dicono - le apprese dai magi e da essi le mutuò[19]», e va bene. Ma Servio Tullio - lui, re etrusco, o etrusco-latino, allevato da etruschi - da chi apprese, come venne a sapere, perché realizzò i principi pitagorici nella sua nuova costituzione di Roma? Andò anche lui in Oriente? Non risulta. Ebbe un maestro di provenienza orientale? Nep-

Fig. 5 – Gli esperimenti di Pitagora sui rapporti armonici (da F. Gafurio, Theorica Musicae, 1492).

pure. Conobbe, sia pure per interposta persona, Pitagora? Non vi sono elementi per dirlo.

Di fronte a una serie di interrogativi senza risposta, o con una risposta presumibilmente negativa, l'unica posizione ragionevole è quella di pensare che le teorie scientifiche di Pitagora e la loro attuazione pratica da parte di Servio abbiano una comune origine – orientale, certo – in quella visione globale del cosmo[20] e dell'uomo nel cosmo che, alla loro epoca, iniziava a circolare in lungo e in largo per il Mediterraneo. La vicenda personale di Pitagora, che nasce a Samo da un Tirreno di Lemno, va a studiare in Fenicia e in Egitto, a Babilonia e in Caldea, e poi torna in patria e ne fugge in odio al tiranno Policrate, e va errando a Delfi e a Creta e infine a Crotone, dove fonda una scuola alla quale accorrono Lucani, Messapi, Peucezi, Romani, Tirreni, e istruisce legislatori come Caronda di Catania e Zaleuco di Locri, riassume nella sola persona del Maestro l'atmosfera culturale dell'epoca.

E il dodecaedro etrusco coevo di Servio Tullio e di Pitagora - che è proprio il solido regolare la cui scoperta è attribuita al Maestro e che fu da questi, o dal suo successore Platone, associato all'universo - of-

fre un esempio concreto della possibilità che le idee e gli oggetti che le rappresentano, viaggiando, giungano in regioni anche molto, molto distanti dai luoghi di origine.

4. ASTRONOMIA E CALENDARIO[21]

Un fatto che non viene sottolineato abbastanza è che, tra tutte le città del mondo classico, Roma è di gran lunga la più occidentale di cui si tramandi la data di nascita: 21 aprile 753 a.C.[22]. E un altro fatto che pure non viene sottolineato come dovrebbe è che Roma è di gran lunga la città più occidentale di cui si tramandi il possesso di un calendario già all'epoca del fondatore e primo re, Romolo.

A sua volta, il calendario romuleo è sempre stato trascurato, perché tutto quel che se ne tramanda appare come un non senso dal punto di vista astronomico: un anno di 304 giorni, suddivisi in 10 mesi di 31 o di 30 giorni, non è solare, non è lunare, e non conta nemmeno un numero intero di mesi lunari, sinodici o siderali che siano. Ciò nonostante, è un calendario basato sul corso del sole, come assicura una testimonianza fondamentale - ma trascurata anche lei - dalla quale risulta che nell'anno romuleo a ogni mese è associato il "clima adatto, *caeli habitus*"[23].

Numericamente, i 61 giorni che mancano per completare l'anno solare corrispondono a quelli che passano tra il solstizio d'inverno, che nel calendario arcaico di Roma cade il 21 dicembre, e la levata vespertina di Arturo, che cade il 23 febbraio[24]. Perciò, una volta contati i giorni che precedono il solstizio d'inverno con i 304 dell'anno romuleo, per i 61 giorni mancanti era possibile regolarsi in maniera analoga a quella descritta da Esiodo: «Quando, dopo che il sole si è volto, sessanta / giorni invernali Zeus abbia compiuto, allora l'astro / di Arturo, lasciata la sacra corrente di Oceano, / tutto splendente si innalza al sorgere della sera[25]».

Quanto all'anno numano – che prende il nome dal successore di Romolo, Numa Pompilio – troppe sarebbero le cose da dire. Prima fra tutte, l'insospettata qualità e quantità di conoscenze astronomiche su cui si fonda: moti di Venere, periodicità delle eclissi di sole e di luna, rivoluzione della linea dei nodi lunari, passaggi dei nodi dai Punti d'Ariete e della Bilancia e loro effetti sui moti della luna, rivoluzione della linea degli apsidi, relazioni tra periodi sinodici e siderali dei pianeti superiori, ecc. ecc.[26].

Qui, ci si dovrà limitare a ricordare la straordinaria corrispondenza tra un rituale babilonese e un racconto romano. Il rituale è quello del "re di sostituzione", inteso a scongiurare le nefaste conseguenze dell'eclissi; il racconto – mitico, ma datato tradizionalmente al 509 a.C. – è quello della cacciata dell'ultimo re, Tarquinio il Superbo, che dà origine alla festa romana del *Regifugium*[27]. Una corrispondenza che mostra la provenienza orientale delle conoscenze astronomiche alla base del calendario numano e delle sue feste.

5. I NOMI DEI MESI E QUELLI DEL MITO [28]

Il calendario c'invita a abbandonare l'ambito delle conoscenze scientifiche per passare alla questione della lingua attraverso i nomi dei mesi. Prima, però, occorre ricordare un dato essenziale: il nome di "mese" fa parte della comune eredità indoeuropea, ma i nomi dei mesi no. In altre parole, le genti parlanti l'indoeuropeo comune conoscono il concetto di mese inteso come lunazione, ma non hanno ancora sviluppato il concetto di mese come periodo di tempo che cade in una stagione fissa dell'anno solare. In altre parole ancora, la conoscenza e l'adozione dell'anno solare con i nomi dei dodici mesi corrispondenti a periodi fissi nell'arco dell'anno segue, e non precede, la diaspora del popolo comune indoeuropeo.

Ora, si dà il caso che noi possediamo, o per testimonianza diretta o grazie alla ricostruzione, i nomi dei dodici mesi dell'anno solare che l'impero achemenide ha mutuato da Babilonia; così come conoscia-

mo, attraverso le raccolte di glosse altomedievali, otto nomi di mesi etruschi che, in due casi, sono attestati nelle iscrizioni[29].

E si dà anche il caso che, oltre a una serie di corrispondenze minori e indirette, quattro dei nomi etruschi presentino singolari corrispondenze fonetiche con altrettanti nomi iranici. Così accade per il marzo etrusco, che suona in latino *velcitanus* e la cui forma originale è ricostruita in *velχit(a)na*, per il giugno, *aclus/acale*, per il luglio, *traneus/*turane* e per l'agosto, *hermius/*hermi*, da confrontare rispettivamente con le forme iraniche di ottobre, *varkazana*[30], di aprile, *vahara*, di luglio, *thurana-*, e di agosto, *garma-*.

Dunque, se fino a questo punto le conoscenze astronomiche su cui si fonda il calendario numano, e le corrispondenze tra rituali babilonesi e racconti romani, indicavano una provenienza genericamente mesopotamica – ovvero semitica - del calendario stesso, adesso i nomi dei mesi individuano un areale più specificamente iranico – ovvero indoeuropeo; senza dimenticare quanto lontano nello spazio, e quanto all'interno del mondo indoeuropeo - Iran e India a est e a sudest, Anatolia e Caucaso a ovest, a nordovest e a nord - si sia spinta tra II e I millennio l'influenza della civiltà "dei due fiumi". E i nomi dei mesi, che rappresentano un'innovazione recente, datano il contatto a un'epoca tarda.

Del resto, ancora all'areale iranico rinvia la stessa onomastica del mito etrusco-romano. In questa sede è impossibile affrontare il tema in tutta la sua estensione, e mi dovrò limitare a proporre un paio di esempi.

Il primo viene dalla tradizione romana. In uno dei miti fondanti della città eterna - il ratto delle Sabine - sono documentati tre nomi propri: 1) il nome del luogo da cui provengono le vergini rapite, *Caenina*; 2) quello del re di questo luogo, *Acron*; e 3) quello dell'unica donna sposata tra loro, *Hersilia*. I tre nomi non trovano un'etimologia in latino, ma si confrontano bene con voci del lessico indoiranico; in

particolare: 1) *Caenina*, con l'iranico *kainya-, kaini-, kainin-*, "ragazza non sposata", e con il sanscrito *kanya-*, "ragazza, vergine"; 2) *Acron*, con l'iranico *a-grav-*, "nubile, non sposata" e con il sanscrito *a-gruh*, "non gravida, nubile, celibe" - e qui la sostituzione della gutturale sonora con la sorda di *Acron* segnala il passaggio del nome attraverso una lingua che, al pari dell'etrusco, ignora le sorde; 3) *Hersilia*, con la forma esclusivamente iranica *hairisi-*, "femmina, moglie".

In altre parole, il confronto diretto tra nomi propri del mito romano e nomi comuni del lessico indo-iranico fa sì che i primi diventino "parlanti", assumendo proprio il valore del ruolo giocato nel mito da chi li porta: *Caenina*, luogo d'origine delle ragazze rapite, è davvero, come vuole il mito, "(il paese) delle vergini"; *Acron*, il re del paese delle vergini, non può essere altro che "il celibe"; *Hersilia*, l'unica donna sposata, è "la moglie" per antonomasia.

Il secondo esempio è offerto dalla tradizione etrusca. Filtrata attraverso l'*Alessandra* di Licofrone e il commento di Tzetzes, essa ci dice che "Ulisse presso i Tirseni si chiamò *Nanos*, col nome che indica l'"errante'", e che *Nanos* "con le sue peregrinazioni esplorò ogni angolo del mare e della terra"[31]. L'accostamento del nome dell'eroe greco a quello dei corpi celesti che, soli in mezzo alle tante fiammelle fisse, "errano" guadagnandosi il nome di "pianeti", meriterebbe un discorso che porterebbe a identificare la figura di Ulisse come quella del "viaggiatore delle stelle". Qui osservo solo che le uniche corrispondenze indoeuropee del nome etrusco di Ulisse[32] si trovano in due forme indeclinabili isolate dell'iranico e del sanscrito: in iranico – per l'esattezza nell'avestico recenziore e gathico – *nana* vale "in molti luoghi diversi", in sanscrito *nana* vuol dire "in diverse maniere"; e il *nana* sanscrito costituisce il primo elemento di una serie numerosa di composti, nei quali il suo significato è invariabilmente quello di "vario, diver-

Marzabotto (inizio V sec. A.C.). Vista aerea di fondamenta (in ciottoli di fiume, a secco) di case etrusche caratterizzate da un corridoio di ingresso e da un pozzo (a cielo aperto) intorno al quale sono disposti i vani abitativi.

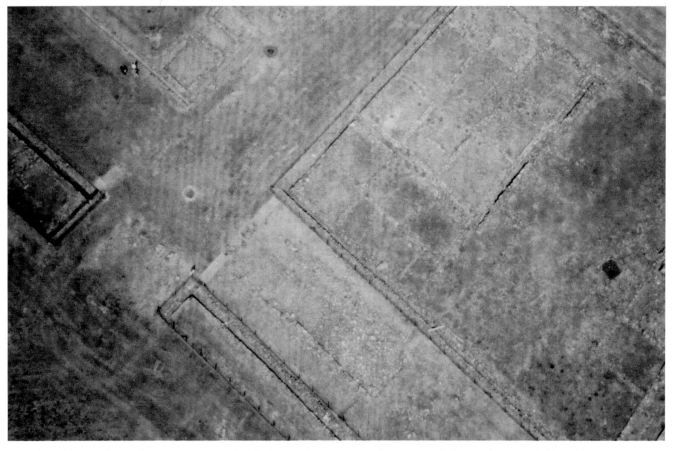

Marzabotto (inizio V sec. A.C.). Vista aerea parziale dell'abitato etrusco. A sinistra l'incrocio tra le due strade principali (plateiai) orientate ai punti cardinali.

so, differente, *manifold*", che risponde all'appellativo omerico dell'eroe dal "multiforme ingegno".
In definitiva, in tutte e due gli esempi si nota un fenomeno che richiede una spiegazione da parte degli specialisti: i nomi propri del mito presenti ma fossilizzati in una data cultura – l'etrusco-romana - trovano una spiegazione con nomi comuni ancora vivi nel lessico di una lingua espressione di una diversa cultura – l'indo-iranica.

Non c'è bisogno di sottolineare, prima di chiudere, che il fenomeno segnalato contrasta con la posizione d'isolamento nella quale è confinata la lingua etrusca; un isolamento che porta a classificare come "possibile comunanza di substrato" la vicinanza di forma e di significato tra etrusco e greco di un termine di famiglia come *puia*, "moglie" e ὄπυιω, "prendo in moglie"[33] senza neanche prendere atto che il confronto andrebbe esteso almeno alle forme sanscrite, la nominale *puja*, "onore, adorazione, venerazione, ecc." e la verbale *pujayati*, "(egli) onora, adora, ecc."

6. IL PROBLEMA DELL'ORIGINE DEGLI ETRUSCHI

Etruschi oggi, ovvero: qual è il quadro che l'etruscologia – ma forse si dovrebbe parlare più ampiamente di antichistica - dà degli Etruschi, oggi? Per cominciare a rispondere alla domanda si deve distinguere tra etruscologi stranieri e etruscologia italiana. Gli stranieri, tendenzialmente, propendono per dare credito al racconto del "vecchio" Erodoto (ca. 485-dopo il 430 a.C.) e della massima parte degli autori antichi, e quindi giurano sulla provenienza degli Etruschi dall'Anatolia, o meglio dalla Lidia; dunque - come direbbero i genetisti – quella etrusca è una migrazione "demica". Mentre l'etruscologia italiana, da Pallottino in avanti[34], fa sue le indicazioni del "giovane" Dionisio di Alicarnasso (ca. 60-dopo il 7 a.C.) insistendo concorde per la loro autoctonia, e la migrazione rimane solo "culturale".

Così – per fare solo due esempi che chiariscano le opposte posizioni – può capitare di leggere, da una parte, «La conoscenza della lavorazione del ferro fu introdotta in Toscana dal Mediterraneo orientale dagli immigrati etruschi, probabilmente fin dall'800 a.C.[35]»; e dall'altra, «Per chi diffida, a ragione, delle teorie di profondi mutamenti etnico-linguistici per l'età del bronzo e l'età del ferro in questi territori – quali potrebbero immaginarsi supponendo ad esempio invasioni di nuove genti in corrispondenza dell'affermarsi dei crematori 'proto-laziali' a sinistra del Tevere o dell'esplosione villanoviana in Etruria – l'opinione più accettabile è che già nella medio-tarda età del bronzo fossero presenti nelle rispettive aree elementi destinati a costituire le future nazionalità dei Latini e degli Etruschi[36]».

Naturalmente, essendo l'etrusca una civiltà italiana per territorio, sono gli antichisti italiani a avere l'ultima parola; e gli stranieri finiscono per mantenere un atteggiamento un po' stupito, assai perplesso, benevolmente critico.

Non è qui il caso di indagare da cosa fosse spinto Pallottino nella sua scelta per l'autoctonia degli Etruschi: se da motivazioni ideologiche legate al regime fascista durante il quale la sua carriera prese avvio - come pure è stato sostenuto[37] - o da meglio fondate e ponderate ragioni scientifiche. Certo è che più avanti nel tempo, e cioè nell'immediato dopoguerra – come lui stesso scrive – «si è fatto strada anche un altro punto di vista, che, tenendo conto della complessità dei fatti archeologici e linguistici e senza negare il valore degli argomenti a favore di ciascuna delle tesi enunciate, esclude che l'origine della nazione etrusca storica possa immaginarsi nella forma ingenua di un unico avvenimento, quale potrebbe essere l'avvento di un popolo da un paese straniero; e sulla base dell'analogia con altri processi consimili suppone piuttosto una lunga e varia evoluzione formativa, dalla quale vennero progressivamente determinandosi i caratteri etnici e culturali degli Etruschi[38]».

Adesso confrontiamo le parole dell'archeologo italiano sull'origine degli Etruschi con quelle di un genetista inglese sull'origine degli Inglesi: «Gli inglesi sono una combinazione del 'popolo del bicchiere campaniforme', diffuso nell'Età del Bronzo europea, dei celti indoeuropei, giunti in Britannia nell'Età del Ferro, di angli, sassoni e iuti, invasori del primo millennio, dei vichinghi e dei normanni, invasori giunti circa 1000 anni fa, e di molte genti immigrate in Inghilterra in fasi più recenti[39]».

Cogliamo subito la differenza: quella dell'archeologo è un'affermazione lunga, contorta, nebulosa; quella del genetista è breve, secca, asseverativa. Il genetista ci "dice" qualcosa di molto importante sugli Inglesi, perché ce ne descrive, passo passo, la preistoria e la storia per circa 4.000 anni fino a oggi; l'archeologo non ci dà una sola informazione sugli Etruschi e sul loro passato. Ma va bene lo stesso, perché ci permette di toccare con mano come l'etruscologia italiana abbia smarrito, da un pezzo, il senso della realtà del problema.

Ancora, confrontiamo le parole di Pallottino con le altre, giustamente famose, con le quali lo storico francese Marc Bloch apre il suo *Les caractéres originaux de l'histoire rurale française*: «Allorché si iniziò il periodo che siamo soliti chiamare 'Medioevo'… l'agricoltura esisteva sul nostro suolo già da millenni. I documenti archeologici lo attestano chiaramente… Questa preistoria rurale è estranea, di per sé, all'argomento qui trattato; ma lo domina[40]» e un senso di scoramento ci assale. Ma come, gli storici del Medioevo francese avvertono la presenza dominante della preistoria, e gli etruscologi sostengono che non è necessario, che è tempo perso, che "è molto più produttivo occuparsi della storia degli Etruschi che delle loro discusse e indimostrabili origini"[41]?

Tant'è, questa è la situazione dell'etruscologia italiana per quanto riguarda il problema dell'origine degli Etruschi: imboccata una certa strada 60 anni fa, l'ha proseguita – come ormai si usa dire - senza se e senza ma, tanto che la terza o quarta generazione di etruscologi la vede sempre come la vedeva il "padre fondatore". Riconsiderandola adesso, retrospettivamente, si direbbe proprio che nessuno di loro abbia tenuto conto che "la scienza è una ricerca della verità che commette continuamente errori ma li corregge"[42], e qui i casi sono due: o fin dall'inizio l'etruscologia italiana è stata tanto fortunata da non commettere errori, o non è stata una scienza alla ricerca della verità.

7. ETRUSCHI, VILLANOVIANI O UMBRI?

Pure, nel quadro che la scuola italiana è venuta costruendo col tempo, restano a dir poco due o tre punti che avrebbero bisogno di essere spiegati meglio. Perché, dopo aver affermato l'inutilità di occuparsi delle "indimostrabili" origini, e non esattamente in linea con quest'affermazione di principio, essa sostiene che la civiltà etrusca, così come la si conosce attraverso le sue testimonianze dalla metà dell'VIII secolo in avanti[43], nasce in Italia e discende in linea retta dai "Villanoviani", ossia da quel popolo che – riprendendo le parole di Pallottino – "nella medio-tarda età del bronzo era presente nell'area destinata a ospitare la futura nazionalità degli Etruschi". E a conferma di questa scuola di pensiero, tutte le più recenti grandi mostre sugli Etruschi aprono con un'ampia sala dedicata ai "Villanoviani"[44].

In un caso come questo, però, l'uso di un nome moderno per identificare un popolo antico è inappropriato, e non serve a chiarire le idee, ma a confonderle. Per fare un paragone, noi possiamo pure chiamare genericamente "Precolombiani" l'insieme dei popoli che abitavano l'America prima della scoperta ma, se vogliamo studiarne specificamente uno, dobbiamo indicarlo col nome giusto, Maya, Aztechi, Incas.

Nel caso dell'insieme dei popoli che abitavano la penisola all'inizio del primo millennio, sappiamo benissimo come gli antichi chiamavano quello che "nella medio-tarda età del bronzo era presente nell'area destinata a...". Tanto Erodoto - anche se non si vuole credere al racconto dell'immigrazione degli Etruschi dalla Lidia – quanto il presunto oppositore, l'"autoctonista" Dionisio, assicurano che il loro nome era "Umbri"[45]; e non vi è ragione di dubitarne[46].

Ecco allora che i moderni "Villanoviani" non possono che coincidere con il popolo che gli antichi conoscevano col nome di Umbri. Solo che – questo ne verrebbe di conseguenza - a un certo momento, sempre attorno alla fatale metà dell'VIII secolo, questi "Umbri dell'ovest" si sarebbero distinti dai confratelli "Umbri dell'est" – che continuarono a parlare umbro e in seguito scrissero le Tavole Eugubine – e avrebbero cambiato nome e cominciato a parlare, e subito dopo a scrivere, una nuova lingua non indoeuropea. D'altra parte, sappiamo anche – ce lo dice l'archeologia – che il popolo che noi moderni chiamiamo "Villanoviani" era, tra X e VIII secolo, allo stesso livello culturale ed economico di tutti gli altri popoli dell'Italia antica, dai Liguri ai Camuni e ai Veneti a nord, dai Piceni agli Osci e ai Sabini a est, dai Latini ai Volsci e ai Sanniti, ecc. ecc. a sud. E constatiamo come coloro che, fino a 50 o 100 anni prima, erano dei miseri indigeni abbiano iniziato a arricchirsi mostruosamente, nel giro di una o due generazioni al massimo. Ma perché proprio loro, gli Umbri dell'ovest, e non i loro fratelli dell'est, e non anche gli altri popoli dell'Italia antica? Si dice "per i giacimenti minerari della Toscana".

Certo, i giacimenti sono importanti, ma la tecnologia lo è di più. E la tecnologia del ferro - in particolare la lavorazione, da eseguire dopo l'estrazione e la fusione del minerale, per arrivare all'acciaio attraverso le successive fasi della cementazione, della tempra e del rinvenimento[47] - è nata dopo il XV secolo in Anatolia. È nata e è rimasta un segreto; come spiega l'archeologo della preistoria ascoltato prima: «Il segreto, che era dopotutto di grande im-

portanza militare, venne gelosamente conservato in qualche parte della patria tradizionale della lavorazione del ferro, nelle terre che confinano con le coste meridionali del Mar Nero, fino alla caduta dell'impero degli Ittiti circa due secoli più tardi[48]».

E questo segreto, forse in forma attenuata, fu mantenuto a lungo, se ancora attorno al 500 a.C. "nel trattato che Porsenna, dopo la cacciata dei re, dette al popolo romano, troviamo la clausola esplicita di non usare il ferro se non in agricoltura"[49]; con le quali parole Plinio lascia intendere chi all'epoca aveva l'esclusiva, di sicuro dei giacimenti e forse della tecnologia, del ferro.

8. PERCHÉ ROMA COPIÒ I VILLANOVIANI?

Ma ammettiamo pure che l'etruscologia italiana abbia ragione, che gli Etruschi siano i diretti discendenti dei Villanoviani, e non stiamo lì a preoccuparci di quale fosse il nome antico di questo popolo. Sorge lo stesso un nuovo problema, perché è certo che questi "Villanoviani", oltre a essere di pari livello culturale e economico, avevano anche vissuto gli ultimi due o trecento anni – e, secondo Pallottino, anche più - fianco a fianco coi Latini, e addirittura a Roma stessa, o meglio nel sito dove poi sorgerà Roma.

Allora, perché mai, quando qualcuno – Romolo o chi per lui – decise di fondarla, questa città eterna, sarebbe dovuto andare a apprendere proprio da dei vicini così ben conosciuti e familiari, e in tutto simili, l'"uso etrusco" di fondazione di una città? Che bisogno ce n'era? Forse che i Villanoviani sapevano a questo riguardo qualcosa in più di quello che sapevano i loro confinanti, i futuri abitanti di Roma? E perché?

Ecco che, se si comincia a non credere a Erodoto, non si può credere nemmeno alla fondazione della città; e la leggenda diventa solo un'imitazione, una trasposizione su suolo italico delle "vere" fondazioni, di Cartagine e delle colonie puniche da una parte e di Cuma e di quelle greche dall'altra. L'effetto domino è avviato: caduta la prima tessera, cade anche la seconda, e via via tutte le altre.

9. L'"ORIENTALIZZANTE"

La terza tessera a cadere si deve all'"Orientalizzante". Con questo nome i sostenitori dell'autoctonia degli Etruschi indicano il periodo storico e la produzione artistica che si sviluppa tra i Villanoviani – ormai diventati Etruschi a tutti gli effetti – dalla metà dell'VIII secolo in avanti, fin verso la fine del VI, parallelamente al loro improvviso e prodigioso arricchimento.

Poiché gli Etruschi sono Villanoviani e i Villanoviani sono autoctoni, l'intera produzione artistica etrusca – salvo un'infima minoranza di capolavori indiscutibilmente importati – dev'essere anch'essa autoctona; dunque, non Orientale ma, appunto, "Orientalizzante". Non creata da artigiani e artisti che si tramandano la sapienza tecnica e la perizia artigianale da generazioni e che, a un certo momento, migrano in Etruria dall'Oriente – Anatolia, Siria settentrionale, Urartu, area post-ittita in generale, sempre esposta a influenze mesopotamiche – portando con loro sapienza e perizia acquisite in un lungo corso di tempo e in una vasta serie di contatti e di rapporti eterogenei; ma prodotta da un personale che, quasi senza retroterra culturale o artistico alle spalle – se non la modestissima capacità mostrata dagli stessi oggetti in bronzo, in ferro e in ceramica del primo Villanoviano – nel giro di pochi anni e in meno di una generazione acquisisce tutte le conoscenze necessarie per progettare e costruire templi o abitazioni, per fondere statue, per lavorare metalli, pietre anche preziose, terrecotte, per realizzare gioielli di raffinata esecuzione, per incidere pietre dure, ecc. ecc.

Se solo si pensa a quanti architetti, scultori, pittori, orafi, incisori, ebanisti, la scuola italiana ha mandato in giro per il mondo a partire – diciamo – dal Rinascimento in avanti, e a quanti di questi, nonostante il trasferimento di

persona, sono riusciti a creare nelle nuove sedi di lavoro delle scuole in grado di produrre prodotti "Italianizzanti" anche dopo la loro scomparsa, si ha la misura di quanto poco realistica sia la ricostruzione che viene fatta del periodo "Orientalizzante". Ci vuole ben altro che l'importazione di qualche esemplare, più o meno isolato, di altissima qualità per innescare una tendenza, o addirittura una scuola, in grado di imitarlo.

Insomma, anche in questo caso è la scelta dell'autoctonia a imporre una sostanziale distanza dal problema reale: come avrebbero fatto questi "Villanoviani arricchiti" a imparare in pochi anni e così agevolmente le tecniche che gli "Orientali" avevano appreso con tanta fatica e in tanto tempo?

10. UN QUADRO PIÙ COERENTE

Per avere un quadro più coerente dell'origine degli Etruschi, dobbiamo partire da lontano - nello spazio, non nel tempo - e cioè dall'Africa centromeridionale. «Uno dei movimenti più imponenti (in verità una delle più drammatiche migrazioni di tutti i tempi) ha avuto inizio circa 2500 anni fa. Da qualche parte, lungo il confine che attualmente separa Nigeria e Camerun, proprio dove la costa occidentale dell'Africa piega verso sud, un gruppo di centroafricani ha incominciato a diffondersi e a spostarsi in aree già occupate da altre popolazioni. I nuovi arrivati parlavano lingue della famiglia Bantu, nelle quali la parola *bantu*, appunto, significa 'popolo'… Le cause originarie dell'espansione bantu rimangono sconosciute; sappiamo tuttavia che questo evento è stato potenziato da due importanti innovazioni. La prima è la domesticazione delle piante…; la seconda è l'introduzione, o forse lo sviluppo indipendente, della lavorazione del ferro nell'Africa centrale. Queste due novità si sono rafforzate reciprocamente: i fabbri dell'Africa centrale producevano zappe, picconi e asce che la gente di lingua bantu usava per deforestare e lavorare i

campi; in cambio gli alberi abbattuti servivano per alimentare i fuochi delle fucine e delle fonderie. Grazie alle due innovazioni, la gente di lingua bantu ha dato origine a una sorta di distruttivo mostro tecnologico. E ha avuto la meglio sui pigmei e sui boscimani spingendo queste popolazioni, che vivevano di caccia e di raccolta, a ritirarsi nelle foreste pluviali e nei deserti, ambienti inadatti all'agricoltura. All'inizio le genti bantu si sono spinte a est attraverso la parte settentrionale del bacino del Congo fino alle sorgenti del Nilo in prossimità del Lago Vittoria e si sono, in seguito, spostate a sud diffondendosi lungo la costa orientale del continente. Vari gruppi attraversarono il continente da est a ovest o da ovest a est generando complesse ondate migratorie. In generale però, le genti di lingua bantu non si sono stabilite nelle regioni interne più aride o lungo le coste dell'Africa meridionale, dove le loro culture favorite dall'umidità non potevano prosperare. Queste aree sono quelle in cui oggi si concentrano i boscimani e i discendenti degli immigrati europei[50]».

Così, in un saggio recentissimo, Olson descrive una delle tante vicende dell'umanità che la moderna ricerca genetica ha potuto ricostruire nei particolari (fig. 6). Tanto che l'autore può concludere con un'affermazione breve e perentoria: «Il DNA degli attuali africani rispecchia chiaramente la diffusione dei bantu».

A parere di chi scrive, un quadro del tutto analogo illustrerebbe altrettanto bene la vicenda degli Etruschi. E non vi è bisogno di immaginare, per questo quadro, una migrazione di grandi masse di uomini: ammettiamo pure che i conti fatti nell'800 da K.J. Beloch siano giusti e che gli Etruschi attorno alla metà del V secolo contassero da 300 a 400.000 individui[51]; ricordiamo che su questa cifra incidono, probabilmente in maniera rilevante, i discendenti degli Umbri ridotti a clienti e i frutti dei matrimoni misti[52]; e consideriamo che l'ipotetica migrazione è avvenuta almeno tre secoli prima[53], ossia circa 15 generazioni prima. Tenuto conto di tutto questo, è probabile che un numero di individui considerevolmente inferiore al precedente - dai 15 ai 25.000 nuovi arrivati - forte di un livello culturale e economico superiore, e della tecnologia del ferro che assicura armi e aratri incomparabilmente migliori[54], sarebbe bastato a dar vita a quella che conosciamo come "Civiltà degli Etruschi"[55]. Ma questo è e resta un parere personale, né più né meno valido delle opinioni reiteratamente riaffermate della scuola etruscologica italiana. La vera novità, una novità dirompente, inquietante per gli uni, rassicurante per gli altri, sta nelle ultime parole riportate sopra, che è bene rileggere: "Il DNA degli attuali africani rispecchia chiaramente la diffusione dei bantu."

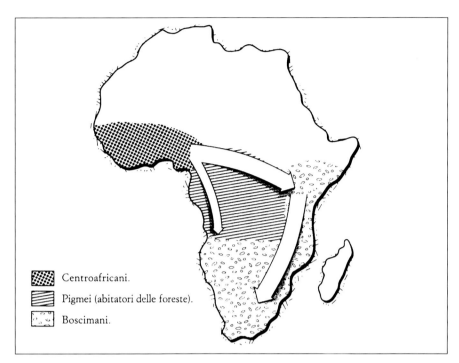

Fig. 6 – Circa 2500 anni fa, un gruppo di centroafricani di lingua bantu ha incominciato a spostarsi lentamente verso Sud, occupando aree già abitate da pigmei e boscimani che venivano spinti verso aree meno produttive. L'espansione bantu è stata potenziata dalla domesticazione di una nuova pianta alimentare e dall'introduzione della lavorazione del ferro (da Olson 2003).

11. DNA E RICERCA GENETICA: IL LONTANO PASSATO SVELATO NEL PROSSIMO FUTURO

Sono passati appena 50 anni dalla scoperta della struttura a doppia elica della molecola del DNA da parte di F. Crick e J.D. Watson. Ne sono passati 40 dalla proposta di Cavalli-Sforza e Edwards di un sistema di elaborazione matematica dei dati di sistemi genetici diversi con cui costruire un *albero filogenetico* delle evoluzioni e delle separazioni – della *deriva genetica* - delle diverse popolazioni della specie umana. Ne sono passati meno di 20 da quando si è iniziato a studiare il DNA mitocondriale e, su iniziativa di A. Wilson, R. Cann e M. Stoneking, a disegnare un *albero genetico mitocondriale*. E appena 10 da quando sono stati individuati i primi esempi di variazione genetica nel cromosoma Y, che hanno permesso di controllare i dati forniti dal DNA mitocondriale e di perfezionarli.

Anche un non esperto – come l'autore di quest'articolo – percepisce che siamo davanti a una scoperta rivoluzionaria, che abbiamo finalmente in mano l'"arma-fine-di-mondo" destinata a spazzare il campo da tutte le chiacchiere, i dubbi, le opinioni, gli errori: *lo strumento che consente di ricostruire la storia genetica di un gruppo umano*.

Basta disporre di un sufficiente quantitativo di dati genetici e avere un'idea di quali siano i gruppi umani su cui eseguire i confronti.

Per quanto riguarda i gruppi umani, tutto quel che si è detto in precedenza serve a indicare e a delimitare le aree interessate: da una

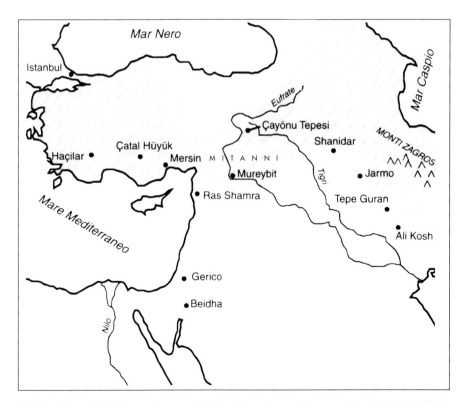

Fig. 7 – L'area individuata col nome di Asia occidentale propriamente detta, che include l'altopiano anatolico in Asia minore e le regioni montuose dell'Armenia e dell'Iran. In scuro, le zone abitate, oggi o nel passato, da popolazioni di lingua indoeuropea. Nel Mitanni del 1400 a.C. è attestata la presenza di una cultura indoiranica (rielaborata da Cavalli-Sforza 2000).

Fig. 8 – La mappa sintetica dell'Italia relativa alla "seconda componente principale". L'area con colorazione più scura, situata nella regione a nord di Roma, corrisponde quasi esattamente all'antica area nella quale sorgevano le città etrusche, a partire dall'800 a.C. (da Cavalli-Sforza 2000).

parte, la terra che un tempo era abitata dagli Etruschi in Italia; dall'altra, l'area conosciuta col nome di *Asia occidentale propriamente detta*, che include l'altopiano anatolico in Asia minore e le regioni montuose dell'Armenia e dell'Iran[56], con particolare attenzione per le zone abitate, oggi o nel passato, da popolazioni di lingua indoiranica (fig. 7).

Per quanto riguarda i dati genetici, quelli italiani hanno già consentito a Cavalli-Sforza di evidenziare la presenza di «alcune aree geografiche, chiare e scure, di particolare interesse. L'area con colorazione più scura, situata nella regione a nord di Roma (Toscana meridionale e Lazio settentrionale), corrisponde quasi esattamente all'antica area nella quale sorgevano le città etrusche, a partire dall'800 a.C. (fig. 8) ...Se la popolazione locale della Toscana meridionale fosse stata protagonista, in un periodo lontano nel tempo (nel caso degli Etruschi, all'inizio dell'Età del Ferro, circa 3000 an-

ni fa) di una crescita demografica molto elevata, e se nei periodi successivi le migrazioni dall'esterno fossero state limitate, il patrimonio genetico locale si sarebbe potuto mantenere ragionevolmente invariato. Pertanto, se all'inizio fossero state presenti differenze genetiche tra questa popolazione e quelle vicine, queste ultime avrebbero meglio potuto contrastare il pericolo della cancellazione e persistere per un lungo periodo: quanto maggiore è la differenza genetica iniziale, tanto più alto risulta il suo grado di persistenza. Si potrebbe supporre che gli Etruschi fossero coloni di origine esterna; ma è difficile escludere che essi abbiano avuto origine da una popolazione autoctona, geneticamente diversa da quelle vicine per l'isolamento iniziale e per un effetto molto forte della deriva genetica[57]».

Per i dati genetici dell'Asia occidentale, invece, vi è da supporre che essi, al momento attuale, siano limitati. Lo stesso Cavalli-Sforza scrive: "Al di là delle classificazioni basate sui confini politici della regione, i Turchi sono piuttosto eterogenei, e meriterebbero un'analisi genetica più minuziosa, se i dati fossero disponibili.", e ancora: "Se disponessimo di un numero maggiore di informazioni genetiche…"[58].

Ma lo studio di Cavalli-Sforza risale a 10 anni fa, e 10 anni – come si è visto – sono un tempo assai lungo per le ricerche genetiche sulla storia e la geografia dei geni umani. Perciò il momento è vicino, quel magico momento in cui si potrà sapere la verità sull'ormai troppo vecchia "questione etrusca". Sarà la genetica a dirla, però; l'etruscologia italiana può solo sperare in un verdetto favorevole.

NOTE

[1] RANIERI 2002-03.

[2] Per altri casi, in luoghi e tempi diversi, vedi RANIERI 1997.

[3] Terne di numeri interi che rispettano il "teorema di Pitagora", con il quadrato del numero maggiore, che misura l'ipotenusa, pari alla somma dei quadrati dei due numeri minori, che misurano i cateti. L'importanza pratica di queste terne deriva dalla facilità con la quale permettono di costruire un angolo retto.

[4] RANIERI 2005. Ringrazio l'Autore per avermi dato modo di leggere e citare lo studio in anteprima.

[5] BOYER 1990, p. 59.

[6] Così come si è imbattuto nei cinque poliedri regolari – tetraedro, cubo, ottaedro, dodecaedro, icosaedro – ritrovati in un deposito neolitico in Scozia, a conferma di quanto la protostoria sia lunga, tortuosa e complicata.

[7] L'argomento di questo paragrafo e del successivo è esposto in maniera più completa e approfondita in MAGINI 2005.

[8] LIVIO, *Ab urbe condita*, I, 43; DIONISIO DI ALICARNASSO, *Antiquitates Romanae*, IV, 16-8.

[9] $193 = (80 + 18) + (20 + 2) + 20 + (20 + 2) + 30 + 1$.

[10] THOMSEN 1980, conta 20 pagine di bibliografia, VERNOLE 2002 ne conta 14; i testi citati dai due autori coincidono solo in parte.

[11] Il triangolo con lato lungo 5 e lati corti 4 e 3 è un triangolo rettangolo perché $5^2 = 4^2 + 3^2$.

[12] Si supponga di avere un triangolo rettangolo con altezza A, base B e ipotenusa C; se si dispone di un valore C che sia la somma di due quadrati di numeri interi, x e y, con x maggiore di y, il valore di A è dato dal doppio del prodotto di x per y, e il valore di B dalla differenza dei quadrati di x e di y; ovvero, se $C^2 = x^2 + y^2$, $A = 2xy$ e $B = x^2 - y^2$. Nel nostro caso, con $C = 193 = 12^2 + 7^2$, si ha $A = 2 \cdot 12 \cdot 7 = 168$, e $B = 12^2 - 7^2 = 144 - 49 = 95$. In accordo col teorema di Pitagora, $193^2 = 168^2 + 95^2$, ovvero $37.249 = 28.224 + 9.025$.

[13] Si potrebbe obiettare che la data ufficiale della nascita dello zodiaco, V o IV secolo a.C., è ancora lontana, ma – come si diceva – anche lo zodiaco avrà avuto una proto-storia lunga, tortuosa e complicata.

[14] I rapporti armonici sono i rapporti tra le lunghezze delle corde di uno strumento a corda, o tra le distanze dei fori di uno strumento a fiato, che determinano la nascita di suoni legati tra di loro da un rapporto di armonia.

[15] IAMBLICO, *De vita Pythagorica*, XXVI, 115-116; MACROBIO, *Commentarii in Ciceronis Somnium Scipionis*, II, 1, 9.

[16] CENSORINO, *De die natali*, XIII, 3-5.

[17] Si veda HU – WHITE 2004, pp. 46-54.

[18] Come, ad esempio, PLUTARCO, *Numa*, I.

[19] PORFIRIO, *Vita Pythagorae*, VI; IAMBLICO, *Vita Pythagorica*, IV, 19.

[20] L'invenzione del termine "cosmo", cioè "ordinato", è attribuita a Pitagora; DIOGENE LAERZIO, *Vitae philosophorum*, VIII, 48.

[21] L'argomento iniziale di questo paragrafo è esposto in maniera più completa e approfondita in MAGINI 2002b, e in IDEM. 2003b, pp. 139-143.

[22] La tradizione è concorde solo su giorno e mese; l'anno è quello accettato da Varrone, che ha finito per imporsi già in antico.

[23] MACROBIO, *Saturnalia*, I, 12, 39.

[24] Il Programma Cosmos dà la levata vespertina di Arturo nel 753 a.C. al nostro 23 febbraio.

[25] ESIODO, *Opera et dies*, 564-9.

[26] Vedi, in particolare, per i moti di Venere, MAGINI 1996; per la periodicità delle eclissi di sole e di luna e la rivoluzione della linea dei nodi lunari, IDEM 2001. Per un quadro generale del calendario numano e delle conoscenze astronomiche implicite, IDEM 2003b.

[27] Vedi MAGINI 2003b, pp. 91-95; cfr. anche IDEM 2003a in corso di stampa.

[28] Per un esame più completo dei nomi dei mesi, vedi MAGINI 1987, pp. 126-141. Cfr. anche IDEM. 2002a, pp. 230-232. Per un primo esame dell'onomastica del mito, vedi MAGINI 1987. In un ciclo di relazioni al Sodalizio Glottologico Milanese, tenute tra il 1999 e il 2004, l'autore ha presentato una serie di casi di nomi del mito etrusco-romano; cfr. MAGINI 2002a, e i successivi Atti del S.G.M., in corso di stampa.

[29] I nomi dei mesi anticopersiani sono studiati da BRANDENSTEIN-MAYRHOFER 1964, p. 9. I nomi dei mesi etruschi dalle glosse vengono da MOUNTDORF 1923, p. 108; i nomi dei mesi etruschi ricostruiti o attestati da CAFFARELLO 1975, p. 111.

[30] La forma iranica deriva da modelli mesopotamici; cfr. KENT 1953, p. 206.

[31] TZETZES, *Ad Lycophronem*, 1244, cfr. TLE 1968, p. 847; LYCOPHRONE, *Alexandra*, 1244-5.

[32] Il nome non è attestato in originale, ma lo possiamo ricostruire nella forma *Nanu*.

[33] PALLOTTINO 1978; cfr., in particolare, p. 439.

[34] La prima edizione dell'*Etruscologia* è del 1942.

[35] CLARK 1969, p. 250.

[36] PALLOTTINO 2001, p. 104.

[37] Vedi S. FRAU, *Etruschi – così il fascismo ne cancellò le origini*, in *la Repubblica*, 19.3.2001; con la replica di M. TORELLI, *Poveri Etruschi male interpretati*, e la controreplica di Frau, *Ma certi raffronti sulle origini vanno fatti*, in *la Repubblica*, 3.5.2001. L'influenza della politica sull'atteggiamento degli studiosi di antichità non è presente solo nel caso Fascismo-etruscologia; scrive Olson (2003, p. 186): "Le migrazioni di massa rappresentavano un vero schiaffo per certe aberranti ideologie politiche, come il concetto secondo cui i tedeschi discendevano in qualche modo da una tribù di superuomini ariani che trionfalmente entrarono in Europa dalle steppe dell'Asia."

[38] PALLOTTINO 1974, p. 45.

[39] OLSON 2003, p. 40. L'autore trae l'esempio degli inglesi dal settimo capitolo di LEWONTIN 1987.

[40] BLOCH è citato nell'originale da CLARK 1969, p. 7; la traduzione è di C. GINZBURG dall'edizione italiana, Einaudi Torino 1977.

[41] TORELLI, *Poveri Etruschi male interpretati*, in *la Repubblica*, 3.5.2001.

[42] L.L. CAVALLI-SFORZA, *Ma la scienza c'insegna a dire 'non so'. A ogni età*, in *Il sole-24 ore*, 24.10.2004, p. 35.

[43] Il primo fiorire di questa civiltà coincide con la data tradizionale della fondazione di Roma.

[44] Vedi, ad esempio, *Civiltà degli etruschi*, a cura di M. CRISTOFANI, Firenze maggio-ottobre 1985, e *Gli Etruschi*, a cura di M. Torelli, Venezia novembre 2000-aprile 2001.

[45] La presenza del fiume Ombrone sulla costa tirrenica e del toponimo Sarsina – "Sarsinati" è il nome di una tribù degli Umbri - allo spartiacque tra Toscana e Marche è una prova della validità del resoconto di Erodoto relativamente al punto in questione. Per DIONISIO DI ALICARNASSO, *Antiquitates Romanae*, I, 19-20, "Umbri" sono gli abitanti di Cortona, di Cere, di Pisa, di Saturnia e di Alsio che "vennero nel corso del tempo scacciati dai Tirreni"; analogo racconto in PLINIO, *Naturalis historia*, III, 50.

[46] Resta il fatto che, se si ritiene che i Villanoviani non coincidano con gli Umbri, si dovrebbe almeno cercare di indicare il nome col quale erano conosciuti in antico.

[47] Vedi GIARDINO 1999, pp. 193-209.

[48] CLARK 1969, p. 250.

[49] PLINIO, *Naturalis historia*, XXXIV, 139.

[50] OLSON 2003, pp. 50-22.

[51] Riprendo la cifra da PIAZZA 1991, che cita BELOCH 1886.

[52] Di clienti degli Etruschi parla DIONISIO DI ALICARNASSO, *Antiquitates Romanae*, IX, 4; di discendenti di matrimoni misti, SILIO ITALICO, *Punica*, IV, 719.

[53] L'interpretazione secondo la quale Erodoto rinvia al XIII secolo la migrazione dalla Lidia è falsa. Il racconto di ERODOTO, I, 94, è un mito d'origine; il parallelo e più ricco racconto di DIONISIO DI ALICARNASSO, *Antiquitates Romanae*, I, 27, lo denuncia dando i nomi degli ascendenti di Tirreno, "il quinto da Giove…".

[54] Nasce da qui l'importanza del motivo dell'"aratore" nella cultura figurativa degli Etruschi?

[55] CAVALLI-SFORZA 1996, p. 167, spiega che "i neolitici potevano, grazie all'agricoltura, raggiungere densità di popolazione molto più alte che i paleolitici"; qualcosa di simile, 7 o 8.000 anni più tardi, deve aver comportato l'introduzione dell'acciaio negli strumenti agricoli. Lo stesso autore, pp. 159-160, spiega che la velocità di riproduzione è molto alta "quando una popolazione di coltivatori occupa una terra quasi disabitata", e fa i casi della "provincia del Quebec, in Canada (che) è stata portata alla densità attuale da una popolazione che era originariamente di circa mille donne francesi, poco più di tre secoli fa", e del popolamento dell'Africa meridionale da parte dei contadini olandesi.

[56] Così CAVALLI-SFORZA 2000, p. 370.

[57] CAVALLI-SFORZA-MENOZZI-PIAZZA 2000, pp. 523-4.

[58] CAVALLI-SFORZA-MENOZZI-PIAZZA 2000, pp. 456 e 458.

BIBLIOGRAFIA

BELOCH 1886 = J. BELOCH, *Die Bevolkerung der griechisch-romischen Welt*, Lipsia 1886.

BOYER 1990 = C.B. BOYER, *Storia della matematica*, Milano 1990.

BRANDENSTEIN - MAYRHOFER 1964 = W. BRANDENSTEIN - M. MAYRHOFER, *Handbuch des Altpersischen*, Wiesbaden 1964.

CAFFARELLO 1975 = N. CAFFARELLO, *Avviamento allo studio della lingua etrusca*, Firenze 1975.

CAVALLI - SFORZA 1996 = L.L. CAVALLI - SFORZA, *Geni, popoli e lingue*, Milano 1996.

CAVALLI - SFORZA - MENOZZI - PIAZZA 2000 = L.L. CAVALLI - SFORZA - P. MENOZZI - A. PIAZZA, *Storia e geografia dei geni umani*, Milano 2000.

CLARK 1969 = J.G.D. CLARK, *Europa preistorica*, Torino 1969.

GIARDINO 1999 = C. GIARDINO, *I metalli nel mondo antico - Introduzione all'archeometallurgia*, Bari 1999.

HU - WHITE 2004 = W. HU - M. WHITE 2004, *Sinfonia cosmica. Le nuove scoperte sulla radiazione di fondo a microonde dimostrano che l'universo primordiale risuonava di armoniose oscillazioni*, in *Le scienze*, III, 2004, pp. 46-54.

KENT 1953 = R.G. KENT, *Old Persian*, New Haven 1953.

LEWONTIN 1987 = R. LEWONTIN, *La diversità umana*, Bologna 1987.

MAGINI 1987 = L. MAGINI, *La parola degli Etruschi*, Roma 1987.

MAGINI 1996 = L. MAGINI, *Le feste di Venere. Fertilità femminile e configurazioni astrali nel calendario di Roma antica*, Roma 1996.

MAGINI 2001 = L. MAGINI, *Astronomy and Calendar in ancient Rome. The Eclipse Festivals*, Roma 2001.

MAGINI 2002A = L. MAGINI, *L'etrusco, lingua dell'oriente indoeuropeo. I°*, in *Atti del Sodalizio Glottologico Milanese*, Milano 2002, pp. 229-249.

MAGINI 2002B = L. MAGINI, *Il calendario romuleo e i suoi rapporti con i fenomeni astronomici*, in *Atti del II° convegno della Società Italiana di Archeoastronomia*, 27-8 sett. 2002, pp. 77-81.

MAGINI 2003A = L. MAGINI, *Eclissi e regalità: un rapporto difficile (Babilonia 1.900 a.C. - Roma 1.600 d.C.)*, in *Atti del III° convegno della Società Italiana di Archeoastronomia*, 26-7 sett. 2003, (2005), pp. 1-5.

MAGINI 2003B = L. MAGINI, *Astronomia etrusco-romana*, Roma 2003.

MAGINI 2005 = L. MAGINI, *L'armonia delle sfere sociali, o la costituzione pitagorica di Servio Tullio*, in *Quaderni Warburg Italia*, II, 2005, pp. 1-73.

MOUNTDORF 1923 = J.F. MOUNTDORF, *de mensium nominibus*, in *Journal of Hellenic Studies*, LIII, 1923, pp. 108 ss.

OLSON 2003 = S. OLSON, *Mappe della storia dell'uomo. Il passato che è nei nostri geni*, Torino 2003.

PALLOTTINO 1974 = M. PALLOTTINO, *La civiltà etrusca*, in *Toscana*, Milano 1974.

PALLOTTINO 1978 = M. PALLOTTINO, *La lingua degli Etruschi*, in *Popoli e civiltà dell'Italia antica*, vol. VI, pp. 429-468, Roma 1978.

PALLOTTINO 2001 = M. PALLOTTINO, *Origini e storia primitiva di Roma*, Milano 2001.

PIAZZA 1991 = A. PIAZZA, *L'eredità genetica dell'Italia antica*, in *Le scienze*, n. 278, X, 1991.

RANIERI 1997 = M. RANIERI, *Triads of Integers: how space was squared in ancient times*, in *Rivista di Topografia antica*, VII, 1997, pp. 209-244.

RANIERI 2002-03 = M. RANIERI, *Geometry at Stonehenge*, in *Archaeoastronomy*, XVII, 2002-03, pp. 81-93.

RANIERI 2005 = M. RANIERI, *La geometria della pianta del Tempio urbana di Marzabotto (Regio I, Insula 5)*, in *Culti, forma urbana e artigianato a Marzabotto - nuove prospettive di ricerca. Atti del convegno di studi*, ante que, Studi e scavi - nuova serie n. 1, Bologna 2005.

THOMSEN 1980 = R. THOMSEN, *King Servius Tullius. A Historical Synthesis*, Copenhagen 1980.

TLE 1968 = *Testimonia Linguae Etruscae*, a cura di M. Pallottino, Firenze 1968.

VERNOLE 2002 = V.E. VERNOLE, *Servius Tullius*, Roma 2002.

Human Skeletal Material from Pompeii: A Unique Source of Information about Ancient Life

by

Maciej Henneberg, Renata J. Henneberg

ABSTRACT

Use of human skeletal remains excavated in Pompeii as a source of information regarding ancient life is described. Available for studies, variously preserved remains of approximately 500 individuals allow reconstruction of demographic dynamics and age structure of the population indicating high mortality (newborn life expectancy 20-25 years) and large proportion of infants and children in the population. Pathological signs on bones (trauma, anaemiae, congenital malformations, chronic infections, malignant neoplasms) and teeth (enamel hypoplasiae, caries, periodontal disease, abscesses) are described and discussed in view of environmental conditions. High disease load is reflected in adult stature about 10 cm shorter than modern reference despite availability of nutrients provided by classical Mediterranean diet of inhabitants of Pompeii. Morphological studies of bones and teeth are aided by chemical analyses of DNA for possible genetic characterisation of individuals. DNA, however, is poorly preserved in most of the remains, which limits its usefulness.

Traditionally, life in the Graeco-Roman antiquity has been reconstructed from written sources and archaeological finds. Though these are extremely rich and valuable sources of information they tend to put the emphasis on prominent political, social and military events and major technological and artistic achievements.[1] They tell us less about everyday life of an average person and even less about the human natural history. Moreover, they rarely provide an opportunity to obtain statistically correct picture of basic vital events such as mortality, diseases and fertility of the entire population.

The interest in studying the human remains of past populations dates back at least to the late eighteenth and then nineteenth century when attempts have been made to describe human morphological characteristics, pathological changes on bones and, using the biological characteristics, to relate the past populations to one another whether contemporary or recent.[2]

Palaeopathology, as a separate field of study, was defined in 1913 by Sir Marc Armand Ruffer as "the science of diseases whose existence can be demonstrated on the basis of human and animal remains from ancient times".[3] The investigation into the diseases in the past by way of autopsy, that means, "to see by oneself" the real evidence, has been conducted already for centuries. Yet, systematic epidemiological studies of all human bones from excavated areas were rather rare. Usually the investigators concentrated on one or a few diseases, such as, for example, leprosy, anaemia, or treponematosis, for statistical analysis of the entire skeletal material.[4] Most commonly, many singular "interesting cases" of diseases represented by changes on bones have been described. Even at present over 70% of papers published in the Journal of Paleopathology are descriptions of single cases of rare diseases or disorders. One of the reasons for over-representation of case studies in palaeopathological literature has been that skeletal samples derived from archaeological sites were often poorly excavated, badly preserved and their essential historical and archaeological documentation was incomplete preventing systematic biological studies on the population level.

Even today very few skeletal samples, although relatively recently excavated from classical archaeological sites, have been thoroughly and systematically studied by biological anthropologists and palaeopathologists. Among these few, probably the best studied up to now, are the samples from Pontecagnano (V-IV c BC) in central Italy,[5] Alfedena (Abruzzo, VI-V c BC),[6] Roman sites such as *Lucus Feroniae, Portus Romae* and Isola Sacra (near Rome, I-III c AD)[7] and the Greek colony of Metaponto in southern Italy.[8] All of these sites are located in Italy, despite the fact that many other classical Greek or Roman archaeological sites in the Mediterranean region and other parts of Europe have been excavated. Human skeletal remains from those sites have often not been preserved (example Greek Olbia on the Black Sea).[9]

Despite the long-standing interest of members of medical profession and scientists of various biological and geological disciplines with biological anthropologists in the leading position, archaeologists still find the skeletal remains an "inferior" source of information and a time-consuming nuisance in the field as has been reported from England and the US.[10]

On the other hand, somewhat in response to that poor interest of archaeologists in skeletal remains, biological anthropologists and palaeopathologists have tried to reinforce the importance of studying archaeologically derived human skeletal material by providing the forum for scientific discussion for all involved in excavations. The introductory note to the marketing of the relatively new journal, the International Journal of Osteoarchaeology, emphasises the need for such forum. In the last decade bioarchaeology has been launched as the "emerging discipline that emphasises the human biological component of the archaeological record".[11] As biological anthropologists and palaeopathologists, it is our aim to show the potential and importance of preserving and studying human skeletal remains especially from archaeological sites with well-documented written and material history for understanding of our past. This is an invaluable and independent source of scientific information also for comparison and verification of information derived from other sources.

For many reasons Pompeii occupies a very special position among all archaeological sites. Not only the entire city has been buried and preserved under the volcanic ashes but the tragic event had taken place just in two days that is within a "blink of an eye" regarding the historical perspective. Moreover, the city represents the period of world history that is well-documented in written sources and in archaeological finds. Early excavators of Pompeii have decided to preserve human remains from this site. According to field notes and other documentation since the opening of the official excavation in 1748,[12] just over one thousand individual skeletons have been recovered in the area of the city.[13]

It has to be stressed that while human bones from other classical ar-

Fig. 1 – Interior of Terme del Sarno, ancient public bath near river Sarno, used for decades as one of the storage places for human and animal bones. The collection of bones in the picture is already partially transferred to the main scientific laboratory in the Museum.

chaeological sites were buried back in unmarked mass burials, often simply in dug up pits or have been used for teaching medical students and then perished without proper studies, human bones from Pompeii have been continuously excavated, preserved and stored.

The skeletal remains collected from the excavated parts of the city were stored within the area of the excavation, usually in one of the already excavated houses. Over the years storage of skeletal remains left something to be desired. Most of individual skeletons were separated into skeletal elements and each element stored separately. Thus we have shelves full of skulls and boxes containing scores of humeri, femora and tibiae. Such practice has been common among classical archaeologists of the past, but it detracts substantially from obtaining full information about each individual. When we commenced our study in 1993 part of the skeletal material was stored in Terme del Sarno, (fig. 1) the other part in Terme Femminili, in this latter location shelves with other finds from the site.

Counts of various skeletal parts differ, but the best estimate of the number of individuals represented has been obtained from the counts of long bones suchas femur and humerus, and glabellar region of the frontal bone of the skull.

These counts do not include 36 individuals whose skeletons are preserved in casts and 11 individuals left *in situ* as part of the exhibition in two of the Pompeian houses (9 skeletons described in the house of Menander.[14] With these skeletons included in calculation the minimal number of individuals whose skeletal parts are represented in the sample will be at least 550. All these calculations are made to show the fragility of human skeletal remains and selective preservation of their fragments. The number of skeletal parts counted for specific study, such as for particular pathological observation or for frequency of morphological traits, will greatly differ and usually the sample will be smaller than the examples in Table 1. State of preservation of bone tissue varies, depending on the cause of death and on location.[15] Some Pompeian bones were yellowed, or even darkened by heat, indicating temperatures ranging from over 100 degrees to 400 degrees Celsius. The majority of the material, however, was not exposed to high temperatures and hard tissues were well preserved allowing observation of fine detail on their surfaces. Some bones were preserved well enough to allow DNA extraction. Fragments of mitochondrial DNA of the length around 100 base pairs were cloned with an error around 1% indicating some, but not much damage to short fragments of DNA.[16] Other bones, however, did not yield DNA that could be unequivocally authenticated.[17]

During excavations, by pouring plaster of Paris into cavities opened up by slow removal of volcanic material, 36 of the victims' skeletons were preserved as casts of the dead people with bones still inside the casting material and became the permanent part of the museal exhibition. Although the casts themselves present an interesting study material, the majority of the human remains have been bones just cleaned from volcanic ash. During over 250 years of excavation the human skeletal remains were collected by excavators untrained for this type of work, stored in ruins of ancient houses open to various weather conditions, survived transport from one storage room to another, and even survived bombing by American airforce in the World War II.

The importance of these remains as a research material has been first realised in mid-19th century when Nicolucci[18] conducted his study of 100 skulls. Even today this competent work remains useful source of information. Most of the skulls first studied by Nicolucci[19] are still available for examination and the best preserved long bones are stored on shelves together with some artefacts found by archaeologists.

The modern biological anthropologist would wish to have the entire skeleton of an individual for examination and not the disarticulated bones, as it is mostly the case in Pompeii. Despite this, bones of over 500 individuals that are preserved in Pompeii, are still a valuable study material.[20]

With the improvement of archaeological techniques the recovery and preservation of the skeletal material have also improved despite the low initial interest of the archaeologists in human remains. This change of attitude can be demonstrated by the preservation of the human remains from the house of Caius Julius Polybius excavated in 1966-1978 where most of the human bones were collected, cleaned and the effort has been made to keep the better preserved, more complete skeletons in separate boxes.[21]

Generally, skeletons excavated after 1970 were kept as individuals where possible due to the nature of excavations (in some locations where several people died on top of one another it was difficult for excavators to individualise skeletons). These comprise minor portion of the collection. Excavations in the 1980s and later have resulted in a small number of excellently preserved and properly stored skeletons like the skeleton of a gladiator and a young boy found at Campo Sportivo.[22]

Despite the passing centuries, dramatic events and the "mild" interest of archaeologists in human remains against an abundance of archaeological findings in Pompeii the human remains have persisted. While documenting and studying

No	Part of the skeleton	individuals
1.	Left femur (at least entire head preserved)	503
2.	Left humerus (at least condyle preserved)	447
3.	Glabella (skull)	379*
4.	Left os coxae (pelvis)	289**
* Skull fragments of children younger than 2 years with open metopic suture are not included, thus the number of individuals based on skulls can be in fact greater than 379 ** Only fragments with characteristics diagnostic for age and sex were counted.		

Tab. 1 – Number of individuals in the skeletal sample from Pompeii (79 CE) calculate from various preserved bony parts.

TAV. II

Pompeii VII.2.6, Casa di Terentius Neo, portrait of Terentius Neo and his wife.

the remaining human material, simultaneously we are in the process of sorting out, labelling and moving the bones to storage places properly protected against the weather. Some of the bones are already in the main scientific laboratory waiting moving them to the separate anthropological laboratory with appropriate storage and study facilities. Bones from Pompeii were already partly studied by Lazer.[23] The small sample of better preserved skeletons from the house of C.I. Polybius was already well described.[24] Hopefully the human remains from Pompeii will continue to be studied for generations to come. There are many important reasons for doing our best to preserve this particular sample, as we will try to explain below.

With constantly improving methods, new technologies available for study of biological materials and new approaches in biological anthropology in the last 50 years, studies of human remains excavated from archaeological contexts become indeed a rich source of information. This includes information on evolutionary changes in human morphological characteristics, environmental influences on human biological life, past diets, frequency of diseases and on human mortality, life expectancy and fertility. The reconstruction of sex and age structure, mortality, life expectancy and fertility in the past populations from burial grounds are, however, open to criticism because buried individuals may not represent the entire population due to selective funeral practices.[25]

Moreover, skeletal remains excavated from burials obviously represent individuals who died either of terminal diseases or by violent causes, rather than an average living member of a population. Skeletal remains have been criticised even as a source of information about mortality because numbers of deceased in each age category are a result of a combination of past fertility and current mortality and are thus affected by natural increase in those populations who were not stationary (non-zero growth).[26]

Since there is no way to determine precisely natural increase in past populations who have had no proper demographic records kept, mortality analyses based on skeletal remains must make arbitrary assumptions about rates of natural increase and thus lead to circular reasoning in analyses of mortality. For instance, large proportion of juvenile skeletons in a particular cemetery may result either from high juvenile mortality rates or from high natural increase or from any combination of the two. There is no way knowing which interpretation is true. Analysis of pathological conditions on skeletal samples from burial grounds suffers from the so-called "osteological paradox".[27]

The more pathological signs are observable on skeletal remains, the lower was fatality of diseases because an individual must live with a disease for a long period of time to develop pathological signs on bones and teeth.

The catastrophe that engulfed Pompeii in 79 CE has had an effect of capturing a snapshot of a living population. Although during the fatal eruption some individuals had an opportunity to leave the city while others could enter it in search of relatives or precious objects, all those who died and have been covered by volcanic material were usual, common inhabitants of Pompeii and its surroundings. They would have lived there for some time after the eruption had it not happened. We cannot gauge all reasons that made certain individuals to remain in their homes, while others left or, cannot fully explain the causes of some persons returning to the city, already covered by a layer of volcanic material and then dying on the streets in later phases of eruption.

In certain cases a reason can be gleaned from particular circumstances. For example, in the House of C.I. Polybius we found a young (~17 years) woman in the last month of pregnancy. She was obviously unable to flee and the family of 12 stayed with her seeking safety in their strong vaulted bedrooms.[28]

Two cases of *spina bifida occulta*, a heritable abnormality where posterior arches of vertebrae remain open instead of completely closing around the spinal canal (including the first two sacral segments) were found among the inhabitants of this house (the pregnant woman and the 8-9 years old child). The high-

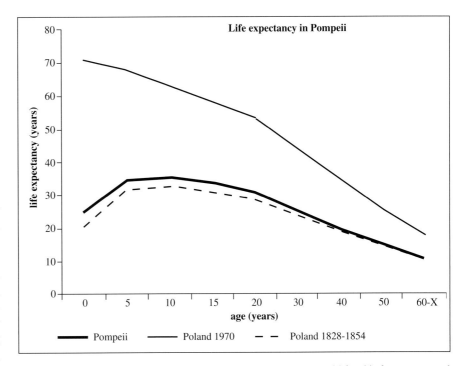

Fig. 2 – Comparison of life expectancies by age from the reconstructed life table for Pompeii with life expectancies of life tables derived from death records for early 19th century Poland (Henneberg 1977). Life expectancies for 20th century Polish life tables (Strzalko et al. 1980) are added to illustrate difference between ancient, pre-industrial, and modern mortality.

er frequency of this anomaly in the household of Polybius (20%) than in the entire sample from Pompeii (11%) indicates that at least some of the deceased in the house were immediate family members.[29]

Human skeletal material from Pompeii is the best, and nearly the only, record of a living ancient population. Thus its study may shed light not only on the living conditions of average people of the Roman Empire but also allows us to assess to what extent skeletal remains from burial grounds are unbiased samples of ancient populations. We have endeavoured to study all aspects of skeletal and dental biology on human remains from Pompeii.[30]

Despite the fragmentary nature of the majority of the skeletal material it has been possible to establish the distribution of individuals who died in Pompeii by sex and age.[31] This was done by using independently three parts of the skeleton

(skulls, mandibles, and pelves) on which sex and age can be reliably estimated.[32] Comparison of the sex and age distribution of deceased from Pompeii shows no difference from the distribution of sex and age in two other skeletal samples from Italy representing ancient populations, rural Metaponto dated to 6-2c BCE and Ponte di Ferro, near Poseidonia (Paestum) dated to 6-4c BCE, but both excavated from burial grounds.[33] That important result permits the palaeodemographic studies, that is reconstruction of life tables[34] for ancient populations and the interpretation of its functions, with much greater certainty.

The life table reconstructed for Pompeii describes mortality very similar to that prevailing in pre-modern Europe until the mid-19th century: newborn life expectancy is twenty-odd years, average age at death of adults around 40 years, and approximately 50% of individuals were dying as infants and children.

Age pyramid of a living population corresponding to such a lifetable contains about 50% children, 40-45% adults in the productive age range, and 5-10% of old adults at what is presently considered retirement age. It is worth noting that biometric functions of the life table reconstructed for Pompeii are very similar to those obtained from written death records for early 19th century, thus confirming validity of the use of current methods of estimating age from skeletal remains for paleodemographic analyses (fig. 2). The size and contents of the houses in Pompeii, the size and architecture of the public facilities such as bath houses, theatres, the stadium, the buildings around the forum and abundant written sources indicate that the city flourished at the time of the disaster.[35] Because our own reality is the best known for us we often use the present day standards as a reference point for evaluation of the economic, environ-

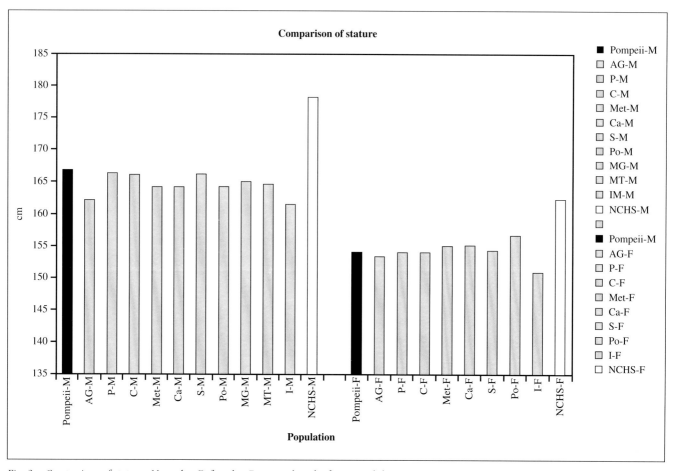

Fig. 3 – Comparison of stature: M- males, F- females. Data used in the figure and their sources: Pompeii – own data, AG – Ancient Greeks (Angel 1944), P- Pontecagnano 5ᵗʰ-4ᵗʰ c.BCE (Pardini et al. 1982), Camerano 4ᵗʰ-3ʳᵈ c BCE (Corrain et al. 1977), Met - Metaponto 6ᵗʰ-2ⁿᵈ c BCE (own data), Ca - Castiglione 7ᵗʰ-6ᵗʰ c BCE (Facchini - Brasili Gualandi 1977-1979), S - Spina 5ᵗʰ- 3ʳᵈ c BCE (Marcozzi and Cesare 1969), Po – Potenzia 1ˢᵗ c BCE - 3ʳᵈ c CE (Capitanio 1974), MG - Modern Greeks (Angel).

mental and social conditions in the past. According to that evaluation, many of the inhabitants of Pompeii were wealthy people even by the present day standards. Thus, it could be expected that those people also ate well and rather did not experience food shortages. The variable Mediterranean diet has been considered to be among the healthiest diets available and many of its elements have not changed much over the last 2000 years. Reasoning in the same direction, it would be natural to assume that children in Pompeii were well fed and thus grew well. That is probably generally true regarding nutrition in the Pompeian population. The skeletal and dental remains provide the necessary information to verify these assumptions. One of the sensitive indicators of environmental conditions influencing human growth is the final adult stature. The stature can be reconstructed from the length of long bones using various mathematical formulae.[36]

Figure 3 shows that there is no particular difference between the stature of males and females from Pompeii and from other past populations in Italy and Europe. While the Pompeian diet could be very good and healthy, it did not change the pattern of human growth which prevailed in Europe until the twentieth century. Other factors than food (its quality, variability and avail-

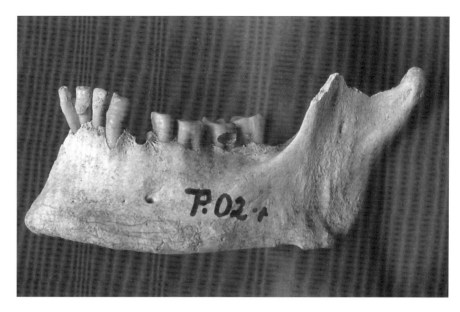

Fig. 4 – Mandible of a 40-50 years old male. Advanced carious lesion is present on the buccal surface of the left second molar tooth at the junction between the crown and the root (neck caries). Slight pitting and remodelling of the alveolar bone occurs around teeth especially around the socket of the lower left first premolar. Periodontal disease is possible. Calculus on the frontal teeth indicates rather poor hygiene. Tooth wear is moderate. Four hypoplastic rings present on the left lower canine indicate that the person experienced (and survived) at least four serious metabolic disruptions in childhood at the time the tooth crown was formed. The time of the disruption may indicate childhood diseases rather than food shortage in Pompeii.

ability) have had an influence on growth.

Observations on dentition showed high frequency of caries (70-98% individuals affected and 32.7% of all teeth affected) and tooth loss before death in Pompeii (8.0-12.5% teeth lost), moderate frequency of abscesses and moderate tooth wear (fig. 4).[37]

The pattern of dental diseases in this population seems to indicate the everyday diet based on carbohydrates and relatively high consumption of sugars, despite of presumably often eaten fish and occasionally meat, as could be perceived from other archaeological findings and written sources.[38] The relatively high percentage of the degenerative temporomandibular joint disorders , similar or even higher than among Neolithic groups[39] whose diet included nuts and other abrasives indicates that the food in Pompeii could have been often hard, eaten raw or specifically prepared and required considerable mastication forces (Table 2). Perhaps some of the people in this sample used their teeth as tools and thus could more readily damage the joint and trigger arthritic changes (fig. 5). This issue still needs to be investigated further.

Commonly present enamel linear hypoplasia on the teeth of Pompeians (fig. 4) informs about metabolic disruptions during the tooth formation in childhood. The rings of thicker and thinner enamel on teeth provide a record of either shortage of food for a period of time when the tooth was formed or, the disruption of the tooth formation process by some disease that prevented nutrients to be delivered to the forming tooth. In rather wealthy Pompeii with its probably balanced diet, the explanation for high frequency of linear hypoplasia would be rather high load of diseases in the childhood than the food shortages.[40] The load of childhood diseases could also hamper the physical growth of the children thus final stature of the adults was similar to stature of many other populations in Europe throughout the centuries until the 20th century. Only then immunisations against childhood diseases and antibiotics changed the normal biology of the generations. On the other hand, the frequency of *cribra orbitalia*, that is pitting and hyperostotic growth of bone on the roof of the eye socket associated with anaemia and al-

Fig. 5 – Osteoarthritis of the mandibular condyle. The condyle is severely remodelled that probably caused pain in temporomandibular joint.

Fig. 6 – Cribra orbitalia of the right orbit.

Fig. 7 – Osteoarthritis of a knee joint. Eburnation and pitting on the articular surface of the lateral condyle of the right femur.

so with many other chronic diseases, is rather low in Pompeii (fig. 6).[41]

This could be explained by the fact that those, who died in Pompeii represent the cross section of the average living population with relatively few ailments at the time of the disaster, while burial samples represent those who mainly died of illnesses. Thus, the *cribra orbitalia* phenomenon could indeed be a very sensitive indicator of serious load of diseases in the populations, independently of other indicators

such as demographic characteristics. This should be further investigated.

Systematic observations of pathological changes on bones from Pompeii led to the first real epidemiological study of the living ancient population. The results showed that many of the pathological signs considered common in samples from burial grounds, such as osteoarthritic changes on various bones and joints, or frequency of some diseases such as Paget's disease, compare well with results from Pom-

peii.[42] In fact, the frequency of some osteoarthritic changes such as arthritic changes in the knee (distal femur, patella, proximal tibia) is higher in Pompeii than in burial ground samples (Table 2, figs 7 and 8).[43]

Angel suggested[44] that walking or riding on the hard surface and bending knees in squatting position could induce changes in bones and joints, specifically in hip and knee. Indeed, walking the surface of streets in Pompeii paved by stone cobbles and riding a cart without shock absorbers and without cushioning of wheels could have caused considerable stress and injury, especially to the knees.

Degenerative changes of the vertebral column (fig. 9). were common and their frequency progressed with age. One of the degenerative changes found in old people (rarely seen before 40 years of age) is diffuse idiopathic skeletal hyperostosis (DISH). It manifests with ossification of anterior longitudinal spinal ligaments and results in complete fusion of the vertebrae (ankylosis) while intervertebral discs are not affected and normal spaces between vertebrae are retained (Table 2 and fig. 10).[45]

Some of the signs expected to be more common in Pompeii, taking into account historical information, proved to be rather rare instead (Table 2). Because of presence of gladiators in the city, higher frequency of various sorts of fractures and trauma might be expected. Frequency of various fractures and healed wounds observed on bones of Pompeians is rather low and similar to rural Metaponto (6th-3rd c BCE). Cranial fractures and long bone fractures amounted to around 1-2% in Pompeii, much lower when compared to specific groups such as soldiers (32% of antemortem healed cranial trauma in individuals who died in battle of Tawton 1461 AD, fig. 11 and 12).[46]

Other changes on bones could explain the habits of the inhabitants and shed some light on who were the people who died in the city. Auditory exostoses, bony outgrowth in the external ear canal are highly

Pathological sign or disease and part of the body affected	No of cases* or no of cases/no of individuals examined	Frequency (%) in Pompeii	Frequency (%) in other populations
Skull			
1. Trauma (fractured skull, wound)	5	2	
2. Paget's disease	3	1	common in Europe[1]
3. Hyperostosis frontalis interna		10	1 (Metaponto 6-2c BCE)[2]
4. Cribra orbitalia	36/348	10	26 (England)[3]
5. Otitis (ear infection)	2	1	
6. Auditory exostoses	28/313	9	31.3 (Isola Sacra 1-3 c AD)[4]
7. Arthritis of temporomandibular joint			
mandible	38/108	35	25.5 (NeolithicCatal Hüyük)[5]
glenoid fossa	48/201	24	
7. Stellate lesions	4	1	
8. Button osteoma	15/300	5	
9. Rugosity and pitting on parietals or frontal	23/300	8	
10. Combination of signs in p.7.,8., and 9.	5	5	
Postcranial skeleton			
1. Fractures (tibia, femur, fibula, rib, finger)		1	
2. Periosteal reaction (tibia)	141/365	39	11.4 (Metaponto 6-2c BCE)[6]
3. Spina bifida occulta (sacrum and L5)	16/149	11	13 (Romano-British 4 c BCE)[7]
completely open posterior part of sacrum	4/149	3	
4. Arthritic changes			
hip: ass. with congenital hip displacement			
lipping on femoral head		3	3.3 (Towton 1461 AD)[8]
sacro-iliac joint (fused)			
knee: distal femur		13	5.5 (Towton 1461 AD)[8]
patella		16	
5. Osteosarcoma (femur)	2		rare in archaeological samples

- The systematical study of diseases in Pompeii is still in progress
- Sources: 1 - Ortner and Putschar 1985, 2 - own unpublished data, 3 - Stuart-Macadam 1992, 4 - Manzi et al. 1991, 5 – Angel 1971,
6– Henneberg and Henneberg 1998, 7 – Papp and Porter 1994, 8 – Coughlan and Holst 2000.

Tab. 2 - Diseases and disorders of ancient Pompeians who died in 79 AD.

correlated with cold water bathing or swimming (swimmers ear, fig. 13).[47]
Public baths in the city had swimming pools with cold water. However, not all the citizens went there and not often enough to develop the bony changes. The frequency of auditory exostoses is 9% among Pompeians while in contemporary Roman Isola Sacra (1st-3rd c CE) it is 31.3%, 3 times more common. It is also found only among wealthy men from this settlement near Rome.[48] It could be suggested that perhaps the wealthiest people of Pompeii managed to flee the city

before they could be buried in the volcanic ash or, simply Pompeians were not so keen on swimming in the cold water, or those who died in the city were mainly servants or less wealthy citizens. The answer will be revealed soon, probably after examining more skeletal remains from various locations in the city and from villas of wealthy people such as the one in Oplontis.[49]
Hyperostosis frontalis interna (HFI) is the condition where internal surface of a frontal bone is thickened with bumpy outgrowths of smooth surface. It is suggested that the hyperostotic bony growth is a result of

hormonal changes during menopause because the condition is now mostly found in women over 40 years of age.[50] Lazer[51] found high frequency of HFI in Pompeian skulls (10%) while in sample from burial ground of Metaponto we found only one convincing case of HFI (1% of females 40 years and over, own preliminary study). The distribution of age at death in both samples is similar, thus the reasons for this great difference in frequency of HFI in ancient populations from the same region (Mediterranean) need further investigation (Table 2, fig. 14).

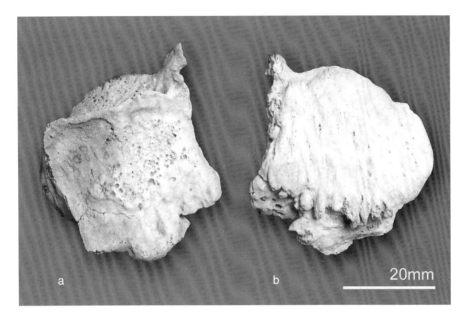

Fig. 8 – Eburnation of the articular surface of a patella and presence of marginal osteophytes (A). Partial ossification of the patellar ligaments (B).

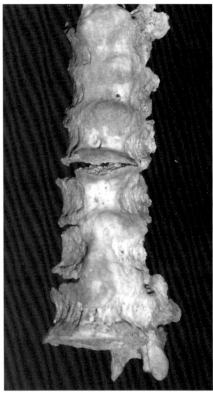

Fig. 10 – Diffuse Idiopathic Skeletal Hyperostosis (DISH). Ossification of anterior longitudinal ligaments leading to fusion of several vertebrae but disk spaces between vertebrae remain. Notice smooth waxy surface of the ossified structures.

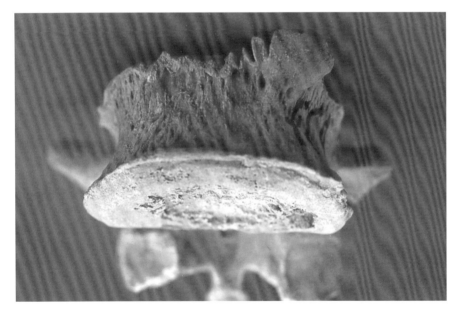

Fig. 9 – Bony growth (osteophytes) on a lower thoracic vertebra. Common finding in elderly individuals.

communication and exchange of ideas between archaeologists and researchers representing other disciplines who are involved in recovering the past, than other already existing media.

ACKNOWLEDGMENTS

The authors wish to thank the Soprintendenza archeologica di Pompei for the invitation to join the team of researchers associated with its Laboratorio di richerche applicate. In particular we are grateful to Professor Pietro G. Guzzo, Superintendent of Pompeii, Dr Annamaria Ciarallo, Director of the Laboratorio, Dr Antonio d'Ambrosio and Professor Baldasare Conticello, former Superintendent of Pompeii, for the permission to study the human skeletal remains in their care.

During our collaboration with the Superintendency of Pompeii the financial support of our studies was provided by Australian Research Council and Wood Jones bequest to the University of Adelaide, Australia.

In modern populations neoplastic growth (cancer) is a common occurrence, but according to some researchers these changes on bones from burial grounds dated before Renaissance were rarely observed.[52] Two cases of malignant neoplasm, osteosarcoma were found on femora in Pompeian sample (fig. 15). Perhaps the perception of the frequency of cancer in the past populations will change with more studies of larger and well preserved skeletal samples.

The vast amount of data collected still awaits full analysis and the studies are in progress. Certainly, all initiatives aimed at studying ancient human remains as accurately as possible for better understanding of our own present time and future should be supported. We hope that *Automata* will provide even more open and constructive forum for

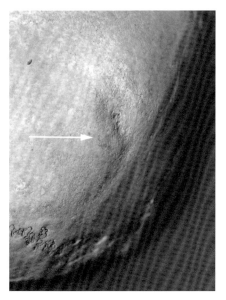

Fig. 11 – Healed wound (depressed fracture) on the right parietal bone of the skull.

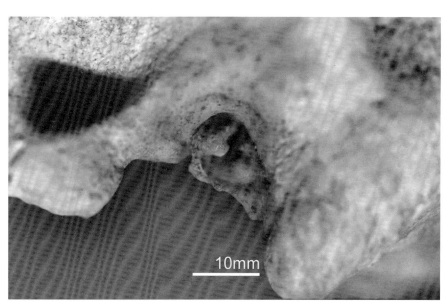

Fig. 13 – Auditory exostoses (bony growth) obstructing the external auditory canal. The condition is associated with bathing in cold water (swimmers' ear).

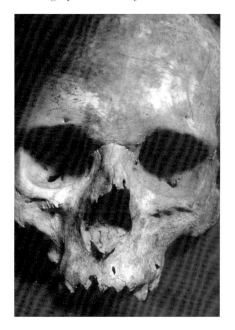

Fig. 12 – Healed fracture of the nasal bones in an adult male.

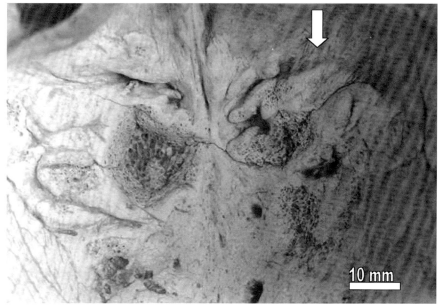

Fig. 14 – Internal surface of a frontal bone with additional bony growth in HFI (hyperostosis frontalis interna). There is some post-mortem damage of the internal table in certain areas where diploe is visible.

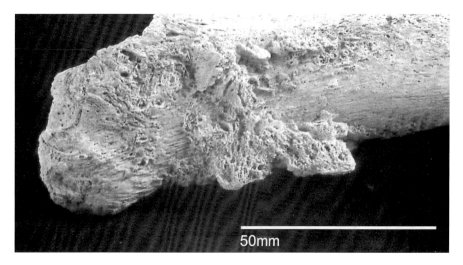

Fig. 15 – Osteosarcoma (malignant tumor) of the proximal femur.

NOTES

[1] BOARDMAN - GRIFFIN - MURRAY 1986.
[2] BLUMENBACH 1775; BROCA 1879; VIRCHOV 1882; NICOLUCCI 1882; PEARSON 1899.
[3] GRMEK 1989, p. 47.
[4] MØLLER-CHRISTENSEN - INKSTER 1965; ANGEL 1966; HENNEBERG - HENNEBERG 1994.
[5] PARDINI - ROSSI - INNOCENTI - STEFANIA - FULGARO - PATORA 1982; PARDINI - MANNUCCI - LOMBARDI PARDINI 1983; FORNACIARI - BROGI - BALDUCCI 1985-86.
[6] COPPA - MACCHIARELLI 1982; BONDIOLI - CORRUCINI - MACCHIARELLI 1986
[7] MANZI - SPERDUTI 1988; MANZI - CENSI - SPERDUTI - PASSARELLO 1989; MANZI - SPERDUTI - PASSARELLO 1991; MANZI - SANTANDREA - PASSARELLO 1997; SANTANDREA 1994.
[8] HENNEBERG - HENNEBERG - CARTER 1992; HENNEBERG - HENNEBERG 1993a; HENNEBERG - HENNEBERG 1993b; HENNEBERG - HENNEBERG 1994; HENNEBERG - HENNEBERG 1998; HENNEBERG - HENNEBERG 2003.
[9] ASCHERSON 1996.
[10] BUSH - ZVELEBIL 1991; LARSEN 1997.
[11] LARSEN 1997, p 3.
[12] ETIENNE 1992
[13] DE CAROLIS - PATRICELLI - CIARALLO 1998.
[14] LAZER 1997.
[15] UBELAKER 1989.
[16] BAILEY - HENNEBERG - COLSON - CIARALLO - HEDGES - SYKES 1999; DI BERNARDO - GALANO - GALDERISI - CASCINO - GUARINO - ANGELINI - CIPORALLO 2001.
[17] COUSSENS - HOPE - HENNEBERG 2005.

[18] NICOLUCCI 1882.
[19] NICOLUCCI 1882.
[20] HENNEBERG - HENNEBERG 2002.
[21] HENNEBERG - HENNEBERG - CIARALLO 1996; HENNEBERG - HENNEBERG 2001.
[22] HENNEBERG - HENNEBERG, 2006d.
[23] LAZER 1996.
[24] HENNEBERG - HENNEBERG - CIARALLO 1996; HENNEBERG - HENNEBERG 2001; DI BERNARDO - GALANO - GALDERISI - CASCINO - GUARINO - ANGELINI - CIPORALLO 2001; TORINO - FORNACIARI 2001.
[25] BUIKSTRA - KONIGSBERG 1985; JOHANSSON - HOROWITZ 1986.
[26] ACSÁDI - NEMESKÉRI 1970;
[27] WOOD - MILNER - HARPENDING - WEISS 1992.
[28] HENNEBERG - HENNEBERG - CIARALLO 1996; HENNEBERG - HENNEBERG 2001.
[29] HENNEBERG - HENNEBERG 1999; ID. 2001.
[30] HENNEBERG - HENNEBERG 1999; ID. 2000; ID. 2001; ID. 2002.
[31] HENNEBERG - HENNEBERG 2002.
[32] KROGMAN - ISCAN 1986; LOVEJOY - MEINDL - PRYZBECK - MENSFORTH 1985; LOTH - HENNEBERG 1996.
[33] HENNEBERG - HENNEBERG 2002.
[34] COALE - DEMENEY 1966.
[35] DE FRANCISCIS 1978; ETIENNE 1992; DESCŒUDRES 1994; GUZZO - D'AMBROSIO 2002; GUZZO 2003.
[36] PEARSON 1899; HRDLICKA 1939; TELKKÄ 1950; DUPERTUIS - HADDEN JR. 1951; TROTTER - GLESER 1952; TROTTER - GLESER 1977.
[37] HENNEBERG - HENNEBERG 2002.
[38] HENNEBERG - PATE - CIARALLO - HENNEBERG 2006.
[39] ANGEL 1971.

[40] HENNEBERG - HENNEBERG 1998; HENNEBERG - HENNEBERG 2006a, b; HENNEBERG - PATE - CIARALLO - HENNEBERG 2006.
[41] ORTNER - PUTSCHAR 1985; STUART - MACADAM 1992.
[42] BARWICK - LEIGH - HENNEBERG - HENNEBERG - CIARALLO 1997; HENNEBERG - HENNEBERG 1998; HENNEBERG - HENNEBERG 2002.
[43] HENNEBERG - HENNEBERG, 2006c.
[44] ANGEL 1971.
[45] AUFDERHEIDE - RODRIGUEZ MARTIN 1998.
[46] HENNEBERG - HENNEBERG 1998; HENNEBERG - HENNEBERG 2002; NOVAK 2000.
[47] KENNEDY 1986; MANZI - SPERDUTI - PASSARELLO 1991.
[48] MANZI - SPERDUTI - PASSARELLO 1991.
[49] HENNEBERG - HENNEBERG 2006e.
[50] RÜHLI - HENNEBERG 2002; RÜHLI - BÖNI - HENNEBERG 2004.
[51] LAZER 1996.
[52] GRMEK 1989.
[53] HENNEBERG 1977.
[54] STRZALKO - HENNEBERG - PIONTEK 1980.
[55] ANGEL 1944.
[56] PARDINI - ROSSI - INNOCENTI - STEFANIA - FULGARO - PATORA 1982.
[57] CORRAIN - CAPITANIO - ERSPAMER 1977.
[58] FACCHINI - BRASILI - GUALANDI 1977-1979.
[59] MARCOZZI - CESARE 1969 .
[60] CAPITANIO 1974.
[61] ANGEL 1972.
[62] ANGEL 1972.
[63] RUBINI 1994.
[64] HAMILL - DRIZD - JOHNSON - REED - ROCHE 1977.

BIBLIOGRAPHY

ACSÁDI - NEMESKÉRI 1970 = G. ACSÁDI - J. NEMESKÉRI, *History of Human Life Span and Mortality,* Budapest 1970.

ANGEL 1944 = J.L. ANGEL, *A racial analysis of the ancient Greeks; an essay on the use of morphological types,* in *American Journal of Physiological Anthropology,* 2, 1944, pp. 329-376.

ANGEL 1966 = J.L. ANGEL, *Porotic Hyperostosis, Anemias, Malarias and Marshes in the Prehistoric Eastern Mediterranean,* in *Science,* 153, 1966, pp. 760-763.

ANGEL 1971 = J.L. ANGEL, *Early Neolithic Skeletons from Catal Hüyük: Demography and Pathology,* in *Anatolian Studies* 21, 1971, pp. 77-98.

ANGEL 1972 = J.L. ANGEL, *Biological Relations of Egyptians and Eastern Mediterranean Populations,* in *Journal of Human Evolution,* 1, 1972, pp. 307-313.

ASCHERSON 1996 = N. ASCHERSON, *"Black Sea". The Birthplace of Civilisation and Barbarism,* London 1996.

AUFDERHEIDE - RODRIGUEZ MARTIN 1998 = A. C. AUFDERHEIDE - C. RODRIGUEZ MARTIN, *The Cambridge Encyclopedia of Human Paleopathology,* Cambridge 1998.

BAILEY - HENNEBERG - COLSON - CIARALLO - HEDGES - SYKES 1999 = J.F. BAILEY - M. HENNEBERG - I.B. COLSON - A. CIARALLO - R.E.M. HEDGES - B. SYKES, *Monkey business in Pompeii the osteological and ancient DNA identification of a Juvenile Barbary Macaque skeleton,* in *Mol. Biol. Evol.* 16, 10, 1999, pp. 1410-1414.

BARWICK - LEIGH - HENNEBERG - HENNEBERG - CIARALLO 1997 = A. BARWICK - C.M. LEIGH - R.J. HENNEBERG - M. HENNEBERG - A. CIARALLO, *Histology of ancient bone from Pompeii: Diagnosing Paget's disease,* in *Paleopathology Newsletter,* 24th Annual Meeting of Paleopathology Association, Meeting Report, 1997, p. 4.

BLUMENBACH 1775 = J.F. BLUMENBACH, *De generis humani varietate nativa,* Gottingen 1775.

BOCQUET - MASSET 1977 = J.P. BOCQUET - C. MASSET, *Estimateurs en paléodémographie,* in *L'Homme* 17, 4, 1977, pp. 65-90.

BOARDMAN - GRIFFIN - MURRAY 1986 = J. BOARDMAN - J. GRIFFIN - O. MURRAY, *The Oxford History of the Classical World,* London 1986.

BONDIOLI - CORRUCINI - MACCHIARELLI 1986 = L. BONDIOLI - R.S. CORRUCINI - R. MACCHIARELLI, *Familial segregation in Iron Age community of Alfadena, Abruzzo, Italy, based on osteodental trait analysis,* in *American Journal of Physical Anthropology* 71, 1986, pp. 393-400.

BROCA 1879 = M.P. BROCA, *Recherches anthropologiques a faire sur le vivant,* Paris 1879.

BUIKSTRA - KONIGSBERG 1985 = J.E. BUIKSTRA - L.W. KONIGSBERG, *Paleodemography: Critiques and controversies,* in *American Anthropologist* 87, 1985, pp. 316-333.

BUSH - ZVELEBIL 1991 = H. BUSH - M. ZVELEBIL, *Health in Past Societies: Biocultural Interpretrations of Human Skeletal Remains in Archaeological Contexts,* in *British Archaeological Reports,* International Series, 567, 1991.

CAPITANIO 1974 = M. CAPITANIO, *La necropoli di Potenzia (Macerata) di epoca romana: notizie antropologiche,* in *Archivio per l'antropologia e l'etnologia* 104, 1974, pp. 174-209.

CAPPIERI 1978 = M. CAPPIERI, *Il popolo Lucano sotto l'aspetto antropologico,* in *XX Riunione Scientifica,* Basilicata 16-20 Ottobre 1976, Firenze 1978.

CARTER 1990 = J.C. CARTER (ed.), *The Pantanello Necropolis 1982-1989. An Interim Report,* Austin Texas 1990.

CARTER 1998 = J.C. CARTER (ed.), *The Chora of Metaponto: The Necropoleis,* Austin Texas 1998.

CARTER 2003 = J. C. CARTER (ed.), *Living off the Chora. Diet and Nutrition at Metaponto,* Austin Texas 2003, pp. 29-36.

CIARALLO 2002 = A. CIARALLO, *Nature and Medicine: About an Ancient Medical Mixture Found in Ancient Pompeii,* in RENN - CASTAGNETTI 2002.

CIARALLO - DE CAROLIS 1999a = A. CIARALLO - E. DE CAROLIS (a cura di), *Homo Faber. Natura, scienza e tecnica nell'antica Pompei,* Milano 1999.

CIARALLO - DE CAROLIS 1999b = A. CIARALLO - E. DE CAROLIS (eds.), *Pompeii. Life in a Roman Town,* Milano 1999.

Pompeii VII.4.48, Fresco from the "Casa della Caccia Antica", South wall.

CIARALLO - DE CAROLIS 2001 = A. CIARALLO - E. DE CAROLIS (a cura di), *La Casa di Giulio Polibio. Studi Interdisciplinari*, Tokio 2001.

COALE - DEMENEY 1966 = A.J. COALE - P. DEMENEY, *Regional Model Life Tables and Stable Populations*, Princeton, N.J. 1966.

COPPA - MACCHIARELLI 1982 = A. COPPA - R. MACCHIARELLI, *The maxillary dentition of the Iron Age population of Alfadena (middle Adriatic area, Italy)*, in *Journal of Human Evolution* 11, 1982, pp. 219-235.

CORRAIN - CAPITANIO - ERSPAMER 1977 = C. CORRAIN - M. CAPITANIO - G. ERSPAMER, *I reperti scheletrici della necropoli picena di Camerano nelle Marche (secoli VI-III a.C.)*, in *Archivio per l'antropologia e la etnologia*, 107, pp. 81-158.

COUGHLAN - HOLST 2000 = J. COUGHLAN - M. HOLST, *Health status*, in Fiorato-Boylston-Knüsel 2000, pp.60-76.

COUSSENS - HOPE - HENNEBERG 2005 = A.K. COUSSENS - R. HOPE - M. HENNEBERG, *DNA Contamination and Degradation Make Skeletal Remains an Unreliable Source of Information for Genetic Analyses of Ancient Populations*, in *Journal of Archaeological Science* (submitted).

DE CAROLIS - PATRICELLI - CIARALLO 1998 = E. DE CAROLIS - G. PATRICELLI - A. CIARALLO, *Rinvenimenti di corpi umani nell'area urbana di Pompei*, in *Rivista di Studi Pompeiani*, 9, 1998, pp. 75-123.

DE FRANCISCIS 1978 = A. DE FRANCISCIS, *Pompeii and Herculaneum, the buried Cities*, Novara, 1978.

DESCŒUDRES 1994 = DESCŒUDRES J-P, *Pompeii Revisited. The Life and Death of a Roman Town*, Sydney 1994.

DI BERNARDO - GALANO - GALDERISI - CASCINO - GUARINO - ANGELINI - CIPORALLO 2001 = G. DI BERNARDO - G. GALANO - U. GALDERISI - A. CASCINO - F.M. GUARINO - F. ANGELINI - M. CIPORALLO, *Analisi dei reperti ossei della Casa. Grado di conservazione ed amplificazione del DNA antico*, in CIARALLO - DE CAROLIS 2001, pp. 111-124.

DUPERTUIS - HADDEN JR. 1951 = C.W. DUPERTUIS - J.A. HADDEN JR., *On the reconstruction of stature from the long bones*, in *American Journal of Physical Anthropology*, 9, 1951, pp. 15-54.

DUTOUR - PALFI - BERATO - BRUN 1994 = O. DUTOUR, G. PALFI, J. BERATO and J-P. BRUN (eds), *The Origin of Syphilis in Europe. Before or After 1493?*, Toulon 1994.

ETIENNE 1992 = R. ETIENNE, *Pompeii. The Day a City Died*, London 1992.

FACCHINI - BRASILI GUALANDI 1977-1979 = F. FACCHINI - P. BRASILI GUALANDI, *I reperti scheletrici di età arcaica della necropoli di Castiglione (Ragusa) VII-VI sec.a.C.*, in *Rivista d'antropologia*, 60, pp. 113-142.

FIORATO - BOYLSTON - KNÜSEL 2000 = V. FIORATO - A. BOYLSTON - C. KNÜSEL (eds), *Blood Red Roses. The Archaeology of a Mass Grave from Battle of Towton AD 1461*, Oxford 2000.

FORNACIARI - BROGI - BALDUCCI 1985-86 = G. FORNACIARI - M.G. BROGI - E. BALDUCCI, *Dental pathology of the skeletal remains of Pontecagnano, Salerno, Italy, VII-IV centuries B.C*, in *Ossa*, 12, 1985-86. pp. 9-13.

GRANT 1971 = M. GRANT, *Cities of Vesuvius. Pompeii and Herculaneum*, London 1971.

GRMEK 1989 = M. GRMEK, *Diseases in the Ancient Greek World*, Baltimore 1989.

GUZZO - D'AMBROSIO 2002 = P.G. GUZZO -

D'AMBROSIO, *Pompeii. Guide to the Site*, Napoli 2002.

GUZZO 2003 = P.G. GUZZO (ed.), *Tales from an Eruption. Pompeii, Herculaneum, Oplontis*, Milano 2003.

HAMILL - DRIZD - JOHNSON - REED - ROCHE 1977 = P.V.V. HAMILL - T.A. DRIZD - C.L. JOHNSON - R.B. REED - A.F. ROCHE, *NCHS growth curves for children birth-18 years*, in DHEW Publication no. (PHS) 78-1650, US Department of Health, Education and Welfare, National Center for Health Statistics, Hyattsville, Maryland 1977.

HENNEBERG 1976 = M. HENNEBERG, *Reproductive possibilities and estimations of the biological dynamics of earlier human populations*, in *Journal of Human Evolution* 5, 1976, pp. 41-48.

HENNEBERG 1977 = M. HENNEBERG, *Ocena dynamiki biologicznej wielkopolskiej dziewietnastowiecznej populacji wiejskiej. I. Ogolna charakterystyka demograficzna*, in *Przeglad Antropologiczny* 43, 1977, pp. 67-89.

HENNEBERG - HENNEBERG 1990 = M. HENNEBERG - R.J. HENNEBERG, *Biological characteristics of the population in the chora*, in CARTER 1990, pp. 76-92.

HENNEBERG - HENNEBERG 1993a = M. HENNEBERG - R.J. HENNEBERG, *Possible occurence of treponematosis in the Ancient Greek colony of Metaponto*, Italy (VI-III B.C.), in *American Journal of Physical Anthropology*, Suppl., 16, pp. 107-108.

HENNEBERG - HENNEBERG 1994 = M. HENNEBERG - R.J. HENNEBERG, *Treponematosis in an ancient Greek colony of Metaponto, Southern Italy, 580-250 BCE*, in DUTOUR - PALFI - BERATO - BRUN 1994, pp. 92-98.

HENNEBERG - HENNEBERG 1998 = M. HENNEBERG - R.J. HENNEBERG, *Biological characteristics of the population based on analysis of skeletal remains*, in CARTER 1998, pp. 503-556.

HENNEBERG - HENNEBERG 1999 = R.J. HENNEBERG - M. HENNEBERG, *Variation in the closure of the sacral canal in the skeletal sample from Pompeii, Italy, 79 AD*, in M. Henneberg - C. Oxnard (eds.), *Is Human Evolution a Closed Chapter?*, Perspectives in Human Biology, 4, 1999, pp. 177-188.

HENNEBERG - HENNEBERG 1999a = M. HENNEBERG - R.J. HENNEBERG, *Primi risultati di uno studio ad ampio raggio e ancora in corso sul materiale scheletrico umano di Pompei*, in CIARALLO - DE CAROLIS 1999a, pp. 51-53.

HENNEBERG - HENNEBERG 1999b = M. HENNEBERG - R.J. HENNEBERG, *Human skeletal material from Pompeii*, in CIARALLO - DE CAROLIS 1999b, pp. 51-53.

HENNEBERG - HENNEBERG 2000 = R.J. HENNEBERG - M. HENNEBERG, *Degenerative arthritis of temporomandibular joint in the skeletal sample from ancient Pompeii, 79 AD*, in *Paleopathology Association Meeting Report*, 2000, p. 7.

HENNEBERG - HENNEBERG 2001 = M. HENNEBERG - R.J. HENNEBERG, *Skeletal material from the House of C. Iulius Polybius in Pompeii, 79 AD*, in CIARALLO - DE CAROLIS 2001, pp. 79-92.

HENNEBERG - HENNEBERG 2002 = M. HENNEBERG - R.J. HENNEBERG, *Reconstructing medical knowledge in ancient Pompeii from the hard evidence of bones and teeth*, in RENN - CASTAGNETTI 2002, pp. 169-187.

HENNEBERG - HENNEBERG 2003 = R.J. HENNEBERG - M. HENNEBERG, *The diet of the Metapontine as reconstructed from the physical remains*, in CARTER 2003, pp. 29-36.

HENNEBERG - HENNEBERG 2006a = R.J. HENNEBERG - M HENNEBERG, *Dental diseases of Pompeians in the time of 79 AD volcanic eruption*, in preparation.

HENNEBERG - HENNEBERG 2006b = R.J. HENNEBERG - M. HENNEBERG, *Human Skeletal Remains from Pompeii 79 AD*, in preparation.

HENNEBERG - HENNEBERG 2006c = R.J. HENNEBERG - M HENNEBERG, *Degenerative diseases in Pompeii 79 AD*, in preparation.

HENNEBERG - HENNEBERG 2006d = M. HENNEBERG - RJ HENNEBERG, *The gladiator from Pompeii 79 AD. Anthropologia and palaeopathologia of the skeleton*, in preparation.

HENNEBERG - HENNEBERG 2006e = M. HENNEBERG - R.J. HENNEBERG, *Human skeletal remains from Oplontis (near Pompeii), after the eruption of Vesuvius in 79 AD*, in preparation.

HENNEBERG - HENNEBERG - AVAGLIANO 1995 = M. HENNEBERG - R.J. HENNEBERG - G. AVAGLIANO, *Paleodemographic and Palaeopathological evaluation of the skeletal material from the necropolis of Ponte di Ferro, Paestum, Italy, VI-IV c. BCE*, in *1st International Congress On: "Science and Technology for the Safeguard of Cultural Heritage in the Mediterranean Basin*, November 27-December 2, Catania, Siracusa 1995, p. 398.

HENNEBERG - HENNEBERG - CARTER 1992 = M. HENNEBERG - R.J. HENNEBERG - J.C. CARTER, *Health in colonial Metaponto*, in *National Geographic Research and Exploration*, 8, 1992, pp. 446-459.

HENNEBERG - HENNEBERG - CIARALLO 1996 = M. HENNEBERG - R.J. HENNEBERG - A. CIARALLO, *Skeletal material from the house of C Iulius Polybius in Pompeii*, in *Human Evolution*, 11, 1996, pp. 249-259.

HENNEBERG - HUGG - TOWNSEND 1989 = M. HENNEBERG - J. HUGG - E.J. TOWNSEND, *Body weight/height relationship: Exponential solution*, in *American Journal of Human Biology*, 1, 1989, pp. 483-491.

HENNEBERG - VAN DEN BERG 1990 = M. HENNEBERG - E.R. VAN DEN BERG, *Test of socioeconomic causation of secular trend: stature changes among favored and oppressed South African are parallel*, in *American Journal of Physical Anthropology*, 83, 1990, pp. 459-465.

HENNEBERG - PATE - CIARALLO - HENNEBERG 2006 = R.J. HENNEBERG - F.D. PATE - A. CIARALLO - M. HENNEBERG, *Stable carbon and nitrogen isotope and dental evidence for dietary variability at Pompeii 79 AD, Italy*, in preparation.

HRDLICKA 1939 = A. HRDLICKA, *Practical Anthropometry*, Philadelphia 1939.

JOHANSSON - HOROWITZ 1986 = S.R. JOHANSSON - S. HOROWITZ, *Estimating mortality in skeletal populations: Influence of the growth rate on the interpretation of levels and trends during its transition to agriculture*, in *American Journal of Physical Anthropology*, 71, 1986, pp. 233-250.

KENNEDY 1986 = G.E. KENNEDY, *The relationship between auditory exostoses and cold water*, in *American Journal of Physical Anthropology*, 71, 1986, pp. 401-415.

KROGMAN - ISCAN 1986 = W.M. KROGMAN - M.Y. ISCAN, *The Human Skeleton in Forensic Medicine*, Springfield 1986.

LARSEN 1997 = C.S. LARSEN, *Bioarchaeology.*

Interpreting behaviour from the human skeleton, Cambridge 1997.

LAZER 1996 = E. LAZER, *Revealing secrets of a lost city. An archaeologist examines skeletal remains from the ruins of Pompeii*, in *Medical Journal of Australia*, 165, 1996, pp. 620-623.

LAZER 1997 = E. LAZER, *Human skeletal remains in the Casa del Menandro, room 19*. Appendix F, in Roger Ling (ed.), *The Insula of the Menander at Pompeii*, Vol.I: *The Structures*, Oxford 1997.

LOTH - HENNEBERG 1996 = S.R. LOTH - M. HENNEBERG, *Mandibular ramus flexure: A new morphologic indicator of sexual dimorphism in the human skeleton*, in *American Journal of Physical Anthropology*, 99, 1996, pp. 473-485.

LOVEJOY - MEINDL - PRYZBECK - MENSFORTH 1985 = C.O. LOVEJOY - R.S. MEINDL - T.R. PRYZBECK - R.P. MENSFORTH, *Chronological metamorphosis of the auricular surface of the ilium: A new method for the determination of adult skeletal age at death*, in *American Journal of Physical Anthropology*, 68, 1985, pp. 15-28.

MALLEGNI - BROGI - BALDUCCI 1985 = F. MALLEGNI - M.G. BROGI - E. BALDUCCI, *Paleodontology of human skeletal remains. Pontecagnano (Salerno) VII-IV centuries B.C.*, in *Anthropologie*, 23, 1985, pp. 105-117.

MANZI - SPERDUTI 1988 = G. MANZI - A. SPERDUTI, *Variabilità morfologica nei campioni cranici di Isola sacra e Lucus Feroniae (Roma I-III secolo d.C.)*, in *Rivista di Antropologia*, 66, 1988, pp. 201-216.

MANZI - CENSI - SPERDUTI -PASSARELLO 1989 = G. MANZI - L. CENSI - A. SPERDUTI - P. PASSARELLO, *Linee di Harris e ipoplasia dello smalto nei resti scheletrici delle popolazioni umane di Isola Sacra e Lucus Feroniae (Roma I-III sec. d.C.)*, in *Rivista di Antropologia*, 67, 1989, pp. 129-148.

MANZI - SPERDUTI - PASSARELLO 1991 = G. MANZI - A. SPERDUTI - P. PASSARELLO, *Behavior induced auditory exostoses in imperial Roman society: Evidence from coeval urban and rural communities near Rome*, in *American Journal of Physical Anthropology*, 85, 1991, pp. 253-260.

MANZI - SANTANDREA - PASSARELLO 1997 = G. MANZI - E. SANTANDREA - P. PASSARELLO, *Dental size and shape in the Roman Imperial Age: Two examples from the area of Rome*, in *American Journal of Physical Anthropology*, 102, 1997, pp. 469-479.

MARCOZZI - CESARE 1969 = V. MARCOZZI - B. M. CESARE, *Le ossa lunghe della città di Spina. (Osservazioni antropologiche)*, in *Archivio per l'antropologia e l'etnologia*, 99, 1969, pp. 1-24.

MØLLER CHRISTENSEN - INKSTER 1965 = V. MØLLER CHRISTENSEN - R.G. INKSTER, *Cases of Leprosy and Syphilis in the Osteological Collection of the Department of Anatomy at the University of Edinburgh, with a Note on the Skull of King Robert The Bruce*, in *Danish Medical Bulletin*, 12, 1965, pp. 11-18.

NICOLUCCI 1882 = G. NICOLUCCI, *Crania Pompeiana*, in *Atti della R. Accademia delle Scienze Fisiche eMatematiche*, 9, 10, 1882, pp. 1-26.

NOVAK 2000 = S. NOVAK, *Battle-related trouma*, in FIORATO - BOYLSTON - KNÜSEL 2000, pp. 90-102.

ORTNER - PUTSCHAR 1985 = D.J. ORTNER - W.G.J. PUTSCHAR, *Identification of Pathological Conditions In Human Skeletal Remains*, Washington 1985.

PAPP - PORTER 1994 = T. PAPP - R.W. PORTER, *Changes of the lumbar spinal canal proximal to spina bifida occulta. An archaeological study with clinical significance*, in SPINE, 19, 1994, pp. 1508-1511.

PARDINI - ROSSI - INNOCENTI - STEFANIA - FULGARO - PATORA 1982 = E. PARDINI - V. ROSSI - F. INNOCENTI - G. STEFANIA - A. FULGARO - S. PATORA, *Gli inumati di Pontecagnano (Salerno, V-IV secolo a.C.)*, in *Archivio per l'Antropologia e la Etnologia*, 112, 1982, pp. 281-329.

PARDINI - MANNUCCI - LOMBARDI PARDINI 1983 = E. PARDINI - P. MANNUCCI - E.C. LOMBARDI PARDINI, *Sex ratio. Età media di vita, mortalita differenziale per età e per sesso in una popolazione campana vissuta a Pontecagnano, Salerno, nei secoli VII-IV a.C.*, in *Archivio per l'Antropologia e la Etnologia*, 113, 1983, pp. 269-285.

PEARSON 1899 = K. PEARSON, *Mathematical contributions to the theory of evolution V. On the reconstruction of the stature of prehistoric races*, in *Philosophical Transactions of the Royal Society*, 192, 1899, pp. 169-244.

PIONTEK - HENNEBERG 1981 = J. PIONTEK - M. HENNEBERG, *Mortality changes in a Polish rural community (1350-1972) and estimation of their evolutionary significance*, in *American Journal of Physical Anthropology*, 54, 1981, pp. 129-138.

RENN - CASTAGNETTI 2002 = J. RENN - G. CASTAGNETTI (eds), *Homo Faber. Studies on Nature, Technology and Science at the Time of Pompeii*, Roma 2002.

RUBINI 1994 = M. RUBINI, *Il popolamento dell'Italia centrale dal I al V secolo d.C: nuovi dati morfometrici*, in *Rivista di Antropologia*, 72, 1994, pp. 135-151.

RUFF - TRINKAUS - HOLLIDAY 1997 = C.B. RUFF - E. TRINKAUS - T.W. HOLLIDAY, *Body mass and encephalisation in Pleistocene Homo*, in *Nature*, 387, 1997, pp. 173-176.

RÜHLI - HENNEBERG 2002 = F.J. RÜHLI - M. HENNEBERG, *Are hyperostosis frontalis interna and leptin linked? A hypothetical approach about hormonal influence on human microevolution*, in *Medical Hypotheses*, 58, 2002, pp. 378-381.

RÜHLI - BÖNI - HENNEBERG 2004 = F.J. RÜHLI - T. BÖNI - M. HENNEBERG, *Hyperostosis frontalis interna: archaeological evidence of possible microevolution of human sex steroids?*, in *Journal of Comparative Human biology*, HOMO, 55, 2004, pp. 91-99.

SANTANDREA 1994 = E. SANTANDREA, *Antropologia dentaria in età romana imperiale: variabilita fenotipica nei campioni di Lucus Feroniae e Portus Romae (I-III sec d. C.)*, Tesi di Laurea (a.a. 1993-1994) Universita degli Studi "La Sapienza", Roma 1994.

SATTENSPIEL - HARPENDING 1983 = L. SATTENSPIEL - H. HARPENDING, *Stable populations and skeletal age*, in *American Antiquity*, 48, 1983, pp. 489-498.

SIGURDSSON - CAREY - CORNELL - PESCATORE 1985 = H. SIGURDSSON - S. CAREY - W. CORNELL - T. PESCATORE, *The eruption of Vesuvius in AD 79*, in *National Geographic Research and Exploration*, 1, 1985, pp. 332-387.

STEINBOCK 1976 = A. STEINBOCK, *Paleopathological Diagnosis and Interpretation*, Springfield 1976.

STIRLAND 2001 = A. STIRLAND, *On line information about the journal*, in *Journal of Osteoarchaeology*, 2001.

STRZALKO - HENNEBERG - PIONTEK 1980 = J. STRZALKO - M. HENNEBERG - J. PIONTEK, *Populacje Ludzkie jako Systemy Biologiczne*, Warsaw 1980.

STUART - MACADAM 1992 = P. STUART-MACADAM, *Porotic Hyperostosis: a New Perspective*, in *American Journal of Physical Anthropology*, 87, 1992, pp. 39-47.

TANZER 1939 = H.H. TANZER, *The Common People of Pompeii*, Baltimore 1939.

TELKKÄ 1950 = A. TELKKÄ, *On the prediction of human stature from the long bones*, in *Acta Anatomica*, 9, 1950, pp. 103-117.

TORINO - FORNACIARI 2001 = M. TORINO - G. FORNACIARI, *Paleopatologia degli individui della Casa di Giulio Polibio*, in CIARALLO - DE CAROLIS 2001, pp. 93-106.

TROTTER - GLESER 1952 = M. TROTTER - G.C. GLESER, *Estimation of stature from long bones of American Whites and Negroes*, in *American Journal of Physical Anthropology*, 10, 1952, pp. 463-514.

TROTTER - GLESER 1977 = M. TROTTER - G.C. GLESER, *Corrigenda: "Estimation of stature from long limb bones of American Whites and Negroes"*, in *American Journal of Physical Anthropology*, 47, 1977, pp. 355-356.

UBELAKER 1989 = D. UBELAKER, *Human Skeletal Remains. Excavation, analysis, interpretation*, Washington 1989.

VIRCHOV 1882 = R. VIRCHOV, *Alttrojanische Gräber und Schädel*, Berlin 1882.

WEISS 1973 = K.M. WEISS, *Demographic Models for Anthropology. Memoir 27*, in *Society for American Archaeology*, Washington 1973.

WOOD - MILNER - HARPENDING - WEISS 1992 = J.W. WOOD, G.R. MILNER, H.C. HARPENDING and K.M. WEISS, *The osteological paradox: Problems of Inferring prehistoric health from skeletal samples*, in *Current Anthropology*, 33, 1992, pp. 343-370.

ZANKER 1998 = P. ZANKER, *Pompeii: public and private life*, Cambridge, Mass. 1998.

Classificazione botanica delle specie illustrate
nel Dioscoride della Biblioteca Nazionale di Napoli

di
Annamaria Ciarallo

ABSTRACT

A herbal is a collection of descriptions of plants for medical purpose: it assumed a definite literary form during the fourth century B.C. and persisted with little alterations throughout the ages.
The number of Greek codices manuscripti *of Dioskurides is very large: the first appeared about the middle of the first century A.D.*
The Juliana Anicia Codex *(V century A.D.) derived from the alphabetical arrangement of the next fourth century and the* Dioscurides Neapolitanus *(VI century A.D.) from whom it descended.*
The Dioscurides Neapolitanus Codex, *kept in the Naples National Library, is illustrated.*

Fig. 1 – *Adiantum capillus Veneris.*

Fig. 3 – *Lilium candidum.*

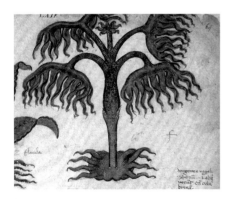

Fig. 2 – *Phyllitis sagittata.*

L'esigenza di avere un erbario illustrato fu sentita per prima dal medico greco Crateva, che ideò, secondo Plinio (*Naturalis historia*, XXV, 8) «un tipo di trattazione molto suggestivo, ma dal quale quasi nient'altro si può ricavare se non l'idea delle difficoltà dell'argomento. Hanno infatti disegnato le figure delle piante e, sotto, ne hanno indicato le proprietà. Ma la riproduzione è già di per sé poco fedele a causa della grande varietà dei colori, soprattutto quando vuol gareggiare con la natura; inoltre produce molte alterazioni la negligenza dei ricopiatori. E poi è insufficiente disegnare le piante come sono in un solo periodo dell'anno, dal momento che il loro aspetto si modifica nel corso delle quattro stagioni. Per questi motivi gli altri autori hanno lasciato sull'argomento solo trattazioni verbali; alcuni non hanno dato neppure indicazioni sulla forma delle piante e se la sono sbrigata per lo più riportandone semplicemente i nomi, dato che sembrava loro sufficiente farne conoscere le proprietà e l'efficacia a chi se ne volesse informare».

Plinio, da colto naturalista del tempo, si rese, dunque, conto anche della necessità di poter riconoscere la pianta in qualsiasi periodo dell'anno, cosa che ovviamente non interessava chi aveva esigenze unicamente estetiche.

Di qui nacque la necessità di illustrare le specie enfatizzando gli elementi che con maggior certezza ne permettevano il riconoscimento, ivi comprese le radici, che grande importanza avevano in medicina.

Le caratteristiche di questi antichi erbari figurati, il cui primo esemplare, come si è detto, è attribuito a Crateva, possono essere dedotte da alcuni manoscritti, che ci sono pervenuti: i più antichi sono il *Codex Iuliana Anicia* (= *Vindobonensis med. gr.* 1 = *Constantinopolitanus*) del 512 d.C., conservato presso la Biblioteca nazionale di Vienna e il

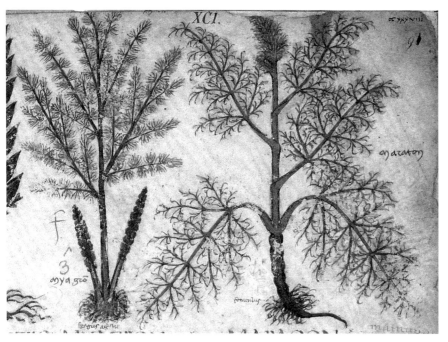

Fig. 4 – *Asparagus officinalis.*

Fig. 5 – *Pancratium maritimum.*

Fig. 6 – *Iris Germanica*

Dioscurides neapolitanus del VII secolo, conservato presso la Biblioteca nazionale di Napoli. Entrambi derivano da uno stesso archetipo del III-IV secolo, redatto in lingua greca, compilato in ordine alfabetico e corredato di sinonimie, derivato dall'opera di Dioscoride, che a sua volta attingeva a Crateva: le illustrazioni della versione napoletana hanno, però, un carattere più scientifico. Esse, infatti, enfatizzano parti essenziali della pianta: ad esempio la differenza tra *Anagallis arvensis* e *Anagallis foemina* viene accentuata con i colori molto accesi delle due specie, rossa nel primo caso, azzurra nel secondo, così come nelle orchidee vengono enfatizzati gli organi di riserva sotterranei che caratterizzano la specie.

Il Dioscoride napoletano per ragioni ovvie di conservazione non può essere consultato: ne è stata fatta in un numero ridotte di copie una splendida edizione anastatica, purtroppo molto costosa e a questa si fa riferimento per quanti vogliano approfondire l'argomento, nella speranza che quanto prima venga pubblicata una edizione economicamente più accessibile per gli studiosi.

Nel Dioscoride napoletano sono illustrate 390 piante su 172 ff., ordinate secondo l'alfabeto greco: mol-

te di esse non sono riconoscibili perché illustrate troppo approssimativamente, altre sono facilmente identificabili, come le *Anagallis* di cui si è detto, altre possono essere identificate attraverso un paziente lavoro di riscontro, che deve tenere conto anche della nomenclatura, che accompagna le illustrazioni. Per quanto concerne la nomenclatura, questa talora si è conservata attraverso i secoli nei nomi che la tradizione popolare ha attribuito alle piante, in taluni casi è stata adottata da quella linneana, in altri nel corso dei secoli ha identificato piante diverse apparentemente simili, in altri casi ancora nomi diversi sono stati attribuiti ad una stessa pianta.

Dal punto di vista iconografico, invece, una delle difficoltà nasce, ed è immediatamente palese, dal fatto che le piante raffigurate hanno tutte la stessa dimensione, perché nella costruzione dell'impaginato bisognava che occupassero più o meno lo stesso spazio.

Un'altra notevole difficoltà s'incontra talvolta nel riconoscimento dei fiori.

La raffigurazione dei fiori a sviluppo radiale, come i capolini delle *Compositae*, di quelli riconducibili al profilo disegnato da una sezione longitudinale, come, ad esempio, nel caso delle *Labiatae*, e di quelli che si articolano su piani diversi, come in quello delle *Iridaceae*, presenta gradi diversi di difficoltà che si traducono in minore chiarezza: ciò nondimeno talora, soprattutto nei casi in cui non ci sono troppe difficoltà a rendere il particolare, vengono esaltati alcuni dettagli che aiutano il botanico ad identificare la specie.

Per identificare le piante illustrate nel *Dioscoride napoletano* diventa dunque necessario un continuo confronto tra iconografia e nomenclatura, che a sua volta va riportata a quella pre-linneana.

I tentativi di identificazione fin qui adottati sono stati diversi e sono stati applicati esaminando le piante raffigurate nella successione data dall'autore.

Il primo tentativo è stato fatto "a colpo d'occhio", mettendo in relazione il nome dato alla pianta con la sua raffigurazione: i casi indubbi sono stati veramente molto pochi a livello di specie (es. *Anagallis mas, A. foemina;* fl. *Spartium junceum,* e *Thymus vulgaris,* fl. *Dipsacum fullonum*), mentre è andata un po'meglio per quanto concerne il genere (es. *Aristolochia: Galium; Rosa*).

Il secondo tentativo si è basato sull'utilizzo di alcune nomenclature pre-linneane e nel terzo sono stati chiamati in causa i nomi popolari: in entrambi i casi si è ricorso anche al confronto con le tavole dell'*Icongraphia florae italicae* del Fiori (1923).

Confrontando le identificazioni attribuite nei diversi tentativi, è apparso palese un notevole numero di incongruenze: ad esempio, al f. 124 sembra raffigurato un *Convolvulus arvensis* L, che viene chiamato dall'autore *periclemenon;* alla fine del 1500 Ferrante Imperato, in area napoletana con dizione leggermente diversa (*pericleon*) indicava il caprifoglio o madreselva, mentre in ambito nazionale Fiori (1923) identificava con il termine *periclimeno* la *Lonicera peryclymenum* e O. Penzig, in *Flora popolare italiana*, Genova, 1924, la *Lonicera caprifolium.*

Fermi restanti i confronti illustrati in precedenza, si è preferito intraprendere un'altra strada, cercando di raggruppare tutte le raffigurazioni relative prima ad uno stesso *phylum*, e poi, nell'ambito di questo, ad una stessa classe, ad una stessa famiglia, e, all'interno di questa, quelle relative ad uno stesso genere nella speranza di riuscire a risolvere in maniera documentata i molti casi dubbi.

Seguendo questo metodo, alcune considerazioni possono già essere fatte:

– le piante disegnate, come si è già detto, sono riportate tutte alla stessa altezza per occupare la parte superiore del *folio*: non vengono, pertanto, rispettate le proporzioni delle singole specie. Se qualcuna è particolarmente alta, la parte sommitale viene ripiegata;

– non tutte le piante sono disegnate in fiore;

– talune piante sono raffigurate con più fedeltà di altre e la differenza non sembra sia solo una questione di abilità nel riprodurre il soggetto;

– l'attenzione è posta, a seconda dei casi, sulle diverse parti della pianta che costituiscono caratteri distintivi all'interno di una famiglia: gli organi sotterranei nel caso delle *Liliaceae*, la lamina fogliare nel caso delle Felci, i culmi in quello delle *Gramineae*;

il colore è un elemento caratterizzante: ad esempio, il giallo sul labello dell'orchidea raffigurata in posizione centrale nel f. 123 restringe il campo in cui identificare la specie;

– per aiutare il confronto tra piante simili appartenenti a specie diverse si ricorre al termine *etero* e, nel caso di differenza nelle dimensioni, ai termini *macro* e *micro*: ciò permette di mettere a confronto sulla stessa pagina specie che apparirebbero distanti tra di loro se considerate in ordine alfabetico;

– talora viene introdotta un'annotazione relativa all'habitat, che è un interessante elemento di riconoscimento in più offerto al lettore (per esempio la terza pianta raffigurata nel f. 134).

Per quanto concerne il significato da attribuire alle osservazioni svolte sopra, si preferisce attendere il completamento dello studio di tutte le specie raffigurate per trarre le conclusioni.

Considerato il gran numero di piante illustrate nel Dioscoride napoletano, il lavoro intrapreso si presenta molto lungo e complesso: verrà pubblicato, pertanto, man mano che si procederà all'identificazione delle specie, cominciando dalle classi delle *Pteridophyta* e, nell'ambito delle *Angiospermae*, delle Monocotiledoni, che vengono illustrate qui di seguito.

TAV. IV

Pompei, Casa del Bracciale d'Oro. Particolare del giardino dipinto.

Pompei, Casa del Bracciale d'Oro. Oleandri.

Pompei, Casa del Bracciale d'Oro. Corbezzoli.

PTERIDOPHYTA = FELCI

I caratteri distintivi delle felci sono rappresentati dalla forma delle foglie, del rizoma e dei corpi fruttiferi (sori). L'autore prende in considerazione solo i primi due.

Famiglia	Genere	Specie	Tavola
Adiantaceae	**Adiantum**	L'unica specie è raffigurata in maniera riconoscibile, anche per il cenno all'*habitat* acquatico. *Adiantum capillus-veneris* L. (fig. 1)	L *Kallitrixon*
Hypolepidaceae	**Gen. Preridium**	Il genere comprende una sola specie caratterizzata da grandi lamine foliari. *Pteridium aquilinum* (L) Kukn Note: fronda a tutta altezza. In precedenza è stata identificata come *Pteris*, conservando nel tempo l'antica nomenclatura.	CI *Pteris*
Apleniaceae	**Ceterach**	È raffigurata una delle due specie presenti nel genere: il muro appena accennato sullo sfondo dà una peculiare indicazione circa il suo habitat. La nomenclatura si è conservata. *Ceterach officinarum* DC Note: Lamine incompletamente pinnato – composte.	CXXXIV *Scolopendrion*
	Asplenium	Nell'ambito del genere, che comprende 18 specie, sono raffigurate le due specie forse più caratterizzate. Secondo Linneo con il termine *Adiantum* i Greci intendevano l'*Amomum*. *Asplenium trichomanes* Note: piume giacenti sul medesimo piano del rachide. *Asplenium onopteris* Note: foglie 3-penotosette	LXIV *Adianton* LXIV *Adianton eteron*
	Phyllitis	Il genere attualmente comprende tre specie, le uniche a lamina intera, di cui un ibrido forse raffigurato nel f. 29, identificate in precedenza come *Scolopendrium*. L'autore usa il suffisso *pteris* per identificare genericamente le felci. Linneo mise in relazione *Dryopteris* con *Scolopendrium*. *Pbyllitis scolopendrium* (L.) Newman *Pbyllitis bybrida* (Milder) C. Chr.? *Pbyllitis sagittata* (D.C.) Guinea et Heywood (fig. 2)	CI *Pteris etera* XXIX *Pbilypteris* LXIV *Dryopteris*
Polypodiaceae	**Polypodium**	È raffigurata una delle tre specie presenti nel genere. La nomenclatura sì è conservata. *Polypodium australe* Fée Note: apice molto accentuato rispetto alle altre piume molto serrate.	CI *Poylypodion*
		MONOCOTYLEDONEAE	
Alismataceae	**Sagittaria**	Comprende tre specie ben distinguibili per le foglie. *Sagittaria sagittifolia* L. Note: è resa molto bene la differenza tra foglie primordiali lineari e le successive, caratterizzate da un lungo picciolo e dalla lamina sagittata.	CXVII *Ofioscordon*
Liliaceae	**Simethis**	*Simethis mattiazzi* (Vandelli) Sacc. Note: La forma della pannocchia e il colore dei fiori identificano la specie seppure con qualche riserva.	LXXII *Elleborine*
	Colchicum	Il genere comprende sette specie, ciascuna con caratteri ben definiti. *Colchicum autumnale* L. Note: ben reso in tutte le sue parti.	LXXI *Efemeron*

(segue)

Famiglia	Genere	Specie	Tavola
	Lilium *Lilium candidum* L. (fig. 3) Note: molto ben rappresentato.	Le 4 specie comprese nel genere hanno ciascuna caratteri ben distinti.	LXXXII *Crinon basilicon*
	Scilla *Scilla byacinthoides* L. Note: foglie nastriformi. Bulbo prolifero? Non aiuta la mancanza di fiore.	Il genere comprende molte specie, di cui la peruviana è caratterizzata da un grande bulbo.	LXIX *Eraclion epankration*
	Urginea *Urginea maritima* (L.) Baker Note: foglie larghe. In precedenza conservavava l'antica nomenclatura.		CXXXVII *Skilla*
	Leopoldia *Leopoldia comosa* (L.) Parl. Note: molto ben reso; *bolbos* era il nome anche in epoca romana.		XXVIII *Bolbos*
	Allium *Allium sativum* Note: sono evidenziati i bulbilli oblunghi (gli spicchi) e lo scapo cilindrico avvolto da guaine fogliari.		L. CLII *Scordon*
	Allium porrum L. Note:		CXXIII *Prason skefalon*
	Allium nigrum L. Note:		CXXXIV *Kromion*
	Allium cepa L. Note: sembrano identificarlo le foglie tutte basali e il bulbo tra l'oblungo e il piriforme caratteristico dei primi stadi di sviluppo.		CLII *Scordoprason*
	Allium scordoprasum L. Note:		CXII *Likoskordon*
	Allium subhirsutum L. Note: infiorescenza ombrelliforme, foglie flaccide; petali bianco candidi; bulbo bianco.		LXVIII *Elafoscordon*
	Asparagus *Asparagus officinalis* L. (fig. 4) Note: turione in fase di sviluppo.		XCI *Myagron*
	Ruscus *Ruscus aculeatus* L. Note: frutto su cladodo. È messo a confronto con un'altra specie.		LXV *Dafne*
	Smilax *Smilax aspera* L Note: il frutto è reso male, ma la forma delle foglie, nonché le spine del margine delle stesse e lungo il fusto la identificano.		LXXVII *Smilax traxeya*
	Hyacinthus *Hyacinthus orientalis* L.		CXLVI *Yakintos*
Amaryllidaceae	**Narcissus** *Narcissus tazetta* L. Note: molto fedele in tutte le parti.		CV *Narkissos*
	Pancratium *Pancratium maritimum* L. (fig. 5) Note: reso riconoscibile dalle caratteristiche appendici delle capsule.		LXXIX *Emerocalles*

(seguito)

Famiglia	Genere	Specie	Tavola
Iridaceae	**Crocus** *Crocus thomasii* Ten. Note: fedele nel colore.		LXXXVIII *Crocus*
	Gladiolus *Gladiolus illyricus* Koch Note: bulbo caratteristico.		CXIV *Xyfion*
	Iris Note: caratteristica capsula; rizoma. *Iris sparia* *Iris germanica* L. (fig. 6) Note: abbastanza fedele soprattutto nel colore.		CXIV *Xyris* XLII *Iris*
Juncaceae	**Juncus** *Juncus acutus* L. Note: radici turbecolate, infiorescenza non terminale, fusti rigidi.		CXVI *Oriskoinos*
Gramineae	La famiglia è una delle più ricche per numero di generi e di specie. Già tra gli stessi generi i caratteri distintivi sono poco distinguibili, per cui è difficile l'identificazione, che in taluni casi è aiutata dalla nomenclatura.		
	Dasypyrum *Dasypyrum villosum* (L.) Borés Note: la spiga è identificativa.		CLXVII *Xondros*
	Bromus Il genere comprende ben trentadue specie non facilmente identificabili. *Bromus secalinus* Note: spiga, nodi. *Bromus sterilis* L. Note: parte terminale delle lemme.		XIII *Aegilops* XXXIII *Bromos*
	Brachypodium *Brachypodium pinnatum* (L.)Beam. Note: spighette alterne.		XXI *Aira*
	Polypogon *Polypogon maritimus* Willd. Note: spighe avvolte da foglie.		CLXIII *Finix*
	Parapholis *Parapholis incurva* (L.) Hubbord Note: tipica infiorescenza ricurva.		CLXIII *Falirion*
	Cynodon Specie: *Cynodon dactylon* (L.) Pers. Nota: radicante ai nodi.		XLVIII *Kalamagrostis*
	Panicum *Panicum miliaceum* L. Note: inforescenza.		LXXXVI *Kenxros*
Araceae	**Arum** *Arum italicum* Miller Note: tubero ovoide; foglia; spadice.		LXV *Dragontea mikra*

(segue)

(seguito)

Famiglia	Genere	Specie	Tavola
	Setaria *Setaria italica* (L.) Beanv. Note: infiorescenza.		LXIX *Elymon*
	Dracunculus Note: l'autore ha cercato di rendere la complessità della lamina foliare.	*Dracunculus* Scott Miller	LXIV *Dragontea etera*
Thyphaceae	**Typha** Comprende 5 specie. *Typha latifolia* L.		CLI *Typha*
Cyperaceae	**Cyperus** Il genere comprende venti specie talora non facilmente distinguibili. *Cyperus laevigatus* L Note: infiorescenza.		CVII *Kyparos ekyteron*
Orchidaceae	**Ophrys** *Ophrys sphecoides* Miller Note: colore del labello.		CXXXIII *Satyreion*
	Ophrys lutea Cav. Note: colore giallo accennato nella fascia marginale del labello. Tubo floreale rigonfio.		CXXIII *Satyreion eteron*
	Ophrys arachnitiformis. Gren. Et Phil. Note: colore del labello.		CXXIII *Satyreion toeryfroneon*
	Orchis *Orchis laxiflora* Poiret Nota: forma dell'infiorescenza e dei tuberi.		CXXXIV *Sarapias*

Vibrational Spectra of Some Pigments from Pompeii

by

Pietro Baraldi, Concezio Fagnano, Anna Loschi Ghittoni, Lorenzo Tassi, Paolo Zannini

ABSTRACT

Some powder pigments found in bowls in the ruins of Pompeii were investigated. Their chemical and mineralogical compositions were obtained by using FT-IR spectroscopy, (Fourier Transform Infrared Spectroscopy), Raman microscopy, X-Ray diffraction and DSC (Differential Scanning Calorimetry). With FTIR spectroscopy and X-Ray diffraction the main components were ascertained and the pigments attributed to Plinius' names as far as possible. With Raman microscopy a detailed examination of minor components was carried out, thereby enabling some considerations on the pigment preparation techniques to be traced. Two unusual pigments were identified, namely jarosite and huntite, already detected in wall painting and ceramics elsewhere.

1. INTRODUCTION

Pompeii became a Roman colony in 80 B.C. with the name of *Colonia Veneria Cornelia Pompeii*. Life was calm but, suddenly, the first signs of the future tragedy of the town occurred. On the 15th February in 62 A.D. a violent earthquake bate the territory. Many houses were damaged, plasters and frescoes were detached and fell, but the town was not abandonned. Intervention for reconstruction was begun. This is testified by many finds of pigment bowls just in the place of application in many houses, and that have been collected from the XVIII cent. to present time. Most of the pigments have been found in terracotta bowls of different size. They are now preserved partly in the Storeys of Pompeii and partly in the Museo Archeologico Nazionale of Naples. These finds are interesting from many points of view: for the identification of the pigments employed in Pompeii by the artisans and the *pictores imaginarii*, in order to understand whether they were pure compounds or mixture,

if they are in their original form or may have been altered by the effects of the eruption of Vesuvius or by contact with the ground for so long a time; this is important since in many places in Pompeii and Herculaneum some pigments can be seen that are transformed into another phase by the effect of the heating. On this subject Augusti[1] has discussed much, proposing a reversible transformation between hematite and goethite. Therefore, it could be very important to ascertain (1) whether the pigments were natural powders or were prepared by some physical or chemical method (2), from where the precursors came, or the pigments came, in order to understand whether the ancients were aware of the nature of the powders and of the reason for mixing the pigments; and lastly (3) whether the powders were in the form proper for use in fresco. In the fresco type of painting the pigments were laid on the freshly prepared plaster, precisely on the last layer and could be applied only during the same day, because a rapid reaction takes place leading

to the carbonatation of the calcium hydroxide with the formation of a calcite texture enclosing the pigment in a stable way. During this operation some pigments can undergo alterations.[2]

The first chemical analyses on old pigments dates back to the first decades of the XIX century. The first analyses on Pompeian colours, in particular, were carried out by Chaptal[3] in 1809, on seven colours received from Pompeii. By these analyses he identified a green earth from Verona and a yellow ochre, from which he supposed that in Pompeii the temperature must not have been so high, because it did not transform into red iron oxide. He identified also a white pumice, an Egyptian blue, a pale Egyptian blue obtained by mixing with lime, and a pink colour termed "lake" composed of a dye on alumina.

Davy,[4] in 1815, discussed analyses on different pigments from Rome and Pompeii, finding the presence of yellow and red ochres on some Pompeian paintings and comparing them with old literary sources. Also at other sites the new science

TAV. VI

Neaples, Museo Archeologico Nazionale. Inv. n. 9018. Fresco with Painter from Pompeii (I Century A.D.).

Bowls with colors (I Century A.D.).

of chemistry investigated the composition of pigments found. Many analyses appeared in journals such as "Annales de Chimie et Physique" with hypotheses on the "formula" of the pigments.

Palmieri,[5] in 1875, carried out a detailed analysis of 12 samples of colours found in Pompeii and identified them as ochre, rubrica, minium, sinopia, aerugo, viride appianum and perhaps clay with purpura.

In the XX century Augusti emerged among the scientists of pigments; he took samples of a variety of pigments from the frescoes of Pompeii and from the bowls that were frequently found in the excavations of the town. By carrying out microchemical analyses he identified cations and anions, formulated hypotheses on their formula or composition and identified the pigments cited by Pliny,[6] Vitruvius[7] and Theophrastus.[8] His volume *I colori Pompeiani*, is a wide review on the situation of the pigments of Pompeii, and not only these. A great part of his considerations is still valid, but some modifications are necessary in the light of modern analytical techniques.

Our research was carried out start-ing from Augusti's work and from what the old writers, above all Vitruvius and Plinius, have handed down on ancient colours, though often information is obscure and contradictory.

In the development of this work we proposed to gain deeper information on the compositions by employing more selective and specific techniques, such as infrared spectroscopy and Raman microscopy. By means of these techniques it has been possible to determine the composition of the pigments, that is both the species present in greater percentage and those present in small percentage. From the analysis of the species present in minimal quantities we aimed to ascertain whether:

1) the various pigments are natural or were produced artificially;

2) they are "pure" compounds or mixtures.

3) what the technique of synthesis could be.

4) what the preparation technique could be.

In Tab. 1 some data are reported, taken from the general inventory of the Museum,[9] that specify the features of the samples found, its date and place of finding.

2. SAMPLES

Augusti in 1967 terminated his wide research on Pompeian colours and affirmed to have carried out the following analyses:

sensorial analysis, that is a visual evaluation of each pigment nuance, its aspect and its conditions; a microscopic examination in order to observe the form and size of the particles; microchemical analyses, with spot tests, one for each ion, and with reactions in the field of the microscope; a mineralogical examination to identify the mineral components possibly present; a spectrographic examination, carried out only on some samples, probably in the visible or ultraviolet region, and a spectrographic examination in the infrared, for some pigment of organic nature, about which no information can be seen in the book; and lastly an X-ray diffraction analysis (for some samples). As a summary of Augusti's trials, we report below the data obtained, preserving his subdivisions of pigments.

Among the bowls accessible to us in the Naples Museum there are two with white pigments carrying the inventory numbers 112228 and 117368. According to Augusti the first one is a block 9.5 x 10 cm carrying the inscription ATTIORU[M] (fig. 1). The microchemical analysis has shown the presence of Ca^{++}, CO$_3^-$ and silica. Traces of organic substances and of various impurities have been observed (Fe, Al, Mg, Na). The sample is essentially calcium carbonate. Under the microscope it appears with the components characteristic of "creta", an ambiguous term in Italian, indicating a clay or gypsum or calcite.

In the same bowl there is a second block of white pigment without inscription, to which we gave the same number with the specification s.s., "without inscription". We have no elements enabling us to refer this block to a precise inventory number, also because of its surprising nature (see below). The sample taken was a light white powder, with a yellow hue. Augusti detected the presence of small fragments of shells. Under the microscope the components characteristic of "cre-

Fig. 1 – Bowl with cat. 11228 containing two blocks of white pigments, one with the inscription ATTIORU[M] (on the right).

N. of General Inv.	Date of entry	Quality	Description	N. princ. count	N. second count	Condition	Place of finding
Vol. 19, pag. 75-77 117323	1 May 1888	Terracotta	Red-enamel cup with manufacturer's name, containing a blue pigment. Diam. mm. 134. Found 10 June 1862	2	3	ancient	Pompei. n. 347 of the notes (5 Febr. 1888 n.145)
117329	"	"	Bowl containing red pigment; part of the rim is lacking. Diam. mm. 165. Found 23 May 1879	"	"	"	n. 353 ibid.
117333	"	"	A similar one. Diam. mm. 85. Found as above.	"	"	"	n. 357 ibid.
117334	"	"	A similar one. Diam. mm. 85. Found as above.	"	"	"	n. 358 ibid.
117335	"	"	A similar one. Diam. mm. 85. Found as above.	"	"	"	n. 359 ibid.
117338	"	"	A similar one. Diam. mm. 165. Found as above.	"	"	"	n. 362 ibid.
117342	"	"	A different one with red lake. Diam. mm. 65. Found as above	"	"	"	n. 366 ibid.
117356	"	"	A similar one. Diam. mm. 72. Found as above.	"	"	"	n. 380 ibid.
117357	"	"	A similar one. Diam. mm. 88. Found as above.	"	"	"	n. 381 ibid.
117359	"	"	Container with pale yellow earth. Diam. mm. 85. Found 28 Dec. 1880	"	"	"	n. 383 ibid.
117360 117363	" "	" "	A similar one. Diam. mm. 94. Found as above. Another one with iron green. Diam. mm. 170. Found as above.	" "	" "	" "	n. 384 ibid. n. 387 ibid.
117365	"	"	Another one with violet. Diam. mm. 82. Found as above.	"	"	"	n. 389 ibid.
117368	"	"	A similar one. Diam. mm. 75. Found as above	"	"	"	n. 392 ibid.
112257	15 Sept. 1881	Collection of Frescoes (Pigments)	Old terracotta bowl, height mm. 50, diam. mm.75	"	"	"	From the old inventory n. 170. Pompei
112265	"	Collection of frescoes (pigments)	Some pieces of red earth in an old terracotta bowl. Height mm 53, diam. mm. 70.	"	"	"	From the old inventory n. 167 Pompei
Vol. 4, p. 400 117364	small bowl with diam 85, height 28. Inven. n. 1765	Glass					

Tab. 1 – General inventory of Pompeii.

ta" were visible. Microchemical analysis has shown the presence of calcium and CO_3^-, that is calcium carbonate, and of SiO_2, Mg, PO_4^{3-}, organic substances and traces of various impurities. The analyses proved the sample to be a Paraetonium of Plinius, a stone used in classical antiquity as a white pigment. According to Plinius (XXXV, 18, 36), *Paraetonium* had the following features: "Its name comes from Egypt, from a place two hundred thousand steps far from Alexandria. It is said to be made of sea foam, strenghtened with clay, for this reason small shells are found in it. It is obtained from the isle of Creta and from Cyrene, and for its best quality, the price is one denarius each six pounds. Among the white pigments, it is the fattest and the most resistant on *tectorium* because of its smoothness."

Among the bowls of blue pigments considered by Augusti[10] only those having the numbers 117335, 117338 and 117333 were accessible to us. The bowls have the pigments in the form of powders, with blue and green crystals, that with high magnification appear as a sand. In polarized light the blue crystals appear birefringent, with pleochroism varying from deep blue to pale pink. Among the crystals, some were of calcite and some of quartz. Under the microscope the presence of components of creta could be seen, that were made of residues of unicellular microrganisms. The spot test on hydrochloric solution ascertained the presence of copper. Blue crystals were made of Cu, Ca and SiO_2. The portion soluble in diluted acids was partly calcium carbonate, partly creta, and partly a compound of copper, oxide and carbonate. It corresponds to the old *Caeruleum Aegyptium*, or Egyptian blue or *Vestorianum* or Alexandrian frit or *Kyanos*. This pigment was diluted with creta to obtain different nuances. Vitruvius[11] gives us the recipe for its preparation.

Concerning the number 117323 according to Augusti it was in the shape of pieces and powder, and the number 117334 in the shape of big crystals with light blue colour.

Now the numbers 117323 and 117334 are referred to bowls containing a pink pigment. The bowl with number 117363, that Augusti says to be a green pigment, now contains a blue pigment in the shape of balls some cm in size and corresponding to the preparation recipe reported by Vitruvius.

Besides the two pink pigments for which there is a problem of inventory numbers, there was another bowl with a pink pigment, but without number, termed in the following "s.n.", that is "pink without number", and two bowls containing deep pink pigments with numbers 117342 and 117365. By the microscope it is possible to see diatoms characteristic of fossil flour, and, in many samples, above all the lighter ones, fossil residues of Foraminifera and Radiolaria, characteristic of a calcareous creta. Microchemical analysis showed the presence of both organic and inorganic substances. The mineral substance contained SiO_2, calcium carbonate and a small portion of iron. The organic substance was proven to be a colouring substance of animal origin fixed on a mineral base, that is a "lake" that Augusti[12] identified as the well-known *Purpurissum*.

The five bowls having the inventory numbers 112249, 112251, 112265, 117356 and 117357 are shapeless pieces and powders of a reddish-brown colour, with darker or lighter nuances. Under the microscope the presence of white crystalline globules in the red mass can be ascertained. The chemical examination revealed the presence of Fe(III), SiO_2, Al, Mg, Ca and carbonate ion, and impurities such as sulphates and Mn. It appears that these red samples have iron oxide as the principal component. In the classical age they were termed with the general name of *Rubricae*. The pigment 112265, showing the abundant presence of Pb, can be "Sandyx" and/or *Syricum*. Plinius affirms: "Artificial red ochre is prepared by burning the yellow one in new and "well-clayed" terracotta pots. The stronger is the burning in the furnace the better is the red."[13]

The pigment in the bowl 117329 is reddish-brown and its particles are attracted by a magnet; the analyses confirmed the presence of Fe(III) as Fe_2O_3 hematite. Pliny described this compound: "Hematite is found in mines and, when burnt, imitate the colour of cinnabar. Sotacus, one of the more ancient authors, remembers five types of hematites, one of which gives a blood-red powder" (Plinio, *Naturalis historia*, XXXVI, 38, 146).

The bowls from where we could take yellow-to-ochre samples had the numbers 112232, 112257, 117359, 117360 and 117374. Their tonality varied from deep yellow to pale yellow. In the mass, a microscopic examination showed colourless or white crystals. Their chemical composition appeared as usual, with Fe(III), SiO_2, Al, Mn, Mg, Ca and carbonate, and other impurities, such as sulphates and silicates. Fe is present as $Fe(OH)_3$. The results demonstrated that the yellow pigments are Fe-based and thus are yellow ochres. By comparing with the historical sources, Augusti deduced that pigment 112257 corrisponded to *Sil Atticum*.

In our investigation at the Museo Archeologico Nazionale di Napoli we could find a green sample only in a glass cup with inventory number 11699. This number does not appear in the series analysed by Augusti. From a comparison with the *Libretto dei Notamenti* it has been ascertained that the number really corresponded to a green coming from Pompeii. In Augusti's list various greens appeared among which we identified the inventory number 117364 corresponding to our container. This identification was made "a posteriori", that is after having identified the content nature and knowing that only one recipient contained such product. According to Augusti the pigment is of a strong, brilliant green colour. A microscopical examination showed green crystals, with prismatic, sickle-shaped or fibrous aggregates of crystals. The chemical analysis revealed the presence of copper as $CuCO_3$, CuO, Cu_2O and $Cu(OH)_2$ with various impurities. The pigment was malachite that, in antiquity, was termed *Armenium* or (improperly according to our present identification) *Chrysocolla*.

The bowl with number 117363 that, according to Augusti should correspond to a green pigment, now contains a blue pigment, and therefore has been included in the blue group.

3 EXPERIMENTAL

3.1 *Collecting the samples*

The samples have been taken at the depository of the Museo Archeologico Nazionale di Napoli in December of the year 2000. The bowls there are preserved in glass cases of the depository without cover, so that it is probable that the falling particulate components could be detected on the pigment surface. For this reason a small sample was taken under a first surface layer, taking small portions in different points of the pigment mass. The latter operation was in order to improve the statistics. By means of a magnifying lens the surface was examined in different positions because sometimes the surface had a different nuance or different crystal size. For the bowls containing a pigment in the form of balls or clods (blue, white and violet) samples were taken in a lower surface of the blocks, where effectively traces of a preceding sampling were visible, maybe those of Augusti.

Some pigments exhibited inclusions of foreign material also on the surface, other had blocks with different consistence. Therefore two or three portions of materials amounting to less than 0.2 g have been taken from the mass, and the inventory numbers have been given with a specification of their quality (homogeneous for the apparently uniform part, heterogeneous for the other). Samples were taken with a steel spatula and put in vials where they were preserved till the examination. The matrices were analyzed with different analytical techniques.

3.2. *Evaluation of Colour*

The technique employed consists in comparing the colour of the substance considered with reference tables. Some indications are given in recently published books, with a lot of information on pigment properties,[14] but specific charts are available. For these measurements we employed the Munsell tables[15] that are normally used by archaeologists and geologists for the evaluation of colours of earths, and that have the drawback of lacking in some nuances such as green, blue and pink, and the SIS tables of the Natural Colour System of the Swedish Commission for Standardization.[16] With these tables a visual comparison in natural light of the materials have been carried out.

3.3 *Recording of IR and Raman Spectra*

The infrared spectra were recorded with KBr pellets at a concentration of 1%. For the recording of IR spectra in transmittance we employed a Perkin Elmer 1700 spectrometer in the range 4000-400 cm^{-1}. The spectra were recorded in moisture and carbon dioxide controlled atmosphere. From the spectra the nature of the pigments and accessory components was identified by comparing with databases, articles and source books.[17]

The Raman spectra were obtained with a Raman Jasco NRS 2000 microscope, by employing the 488 nm line and a power of about 1 mW. The detector was a CCD (330 x 1100) with 1100 pixels cooled with liquid nitrogen. The spectral range varied, but in all cases was extended down to 50 cm^{-1}. The spectra were recorded without any preparation of the samples, being only laid on a metal support. After focalization of a crystal through a visual microscope, the spectrum was recorded with a variable number of scans or time of accumulation, according to the signal intensity. At least one hundred Raman spectra were recorded on each sample by focusing on crystals and identifying their nature. These measurements supplied an approximate percentage of the components.

For the purpose of comparison, the infrared and Raman spectra of many commercial pigments or minerals have been recorded. All these spectra have been inserted in a database of historically attested pigments that is in progress in the Raman Laboratory of the Chemistry Department of Bologna as a part of the research carried out on financial support by Italian CNR (National Research Council) in collaboration with the University of Modena.

3.4 *X-ray diffraction*

In order to identify the crystalline phases present and thereby confirming some of the attributions made by spectroscopic methods, X-ray diffractograms were recorded on powders. The identification of crystalline phases was carried out on the basis of a comparison with literature data, such as the ICDD files. The analysis was carried out with a Philips PW 1150 diffractometer, by using the Cu Ka radiation and a Ni filter.

3.5 *DSC Measurements*

Differential scanning calorimetry can supply useful information about the composition and transitions taking place on a sample during heating under a given atmosphere. This is particularly important for Pompeii, where both the pigments in bowls and pigments on the walls can undergo transformations during heating, thereby indicating by means of the transformation temperature some details on the heating to which walls and objects in the houses had been subjected to. About 2 mg of samples were encapsulated in an aluminium container, inserted in the calorimeter and then exposed to a heating cycle from 25 to 600° C by a heating speed of 10°/ min. On the heated samples an infrared spectrum was recorded in order to check the changes having taken place. A Perkin Elmer DSC-4 calorimeter was employed.

4. ANALYSIS OF RESULTS AND DISCUSSION

4.1 *Evaluation of colour*

The Munsell codes and the NCS notations for the Pompeian pigment

N. Pigment	Specification	Munsell Code	NCS Notation
112228	c.s.		0005-Y20R
112228	s.s.		0502-Y
112232	o	2.5 YR 3/6	0030-Y10R
112249	r	10 R 3/6	5040-Y90R
112249	o	10 YR 5/8	1070-Y20R
112251	r. he	10 R 4/8	6040-Y90R
112251	r. ho	10 R 3/6	6040-Y90R
112257	o. he	10 YR 6/6	2050-Y20R
112257	o. ho	10 YR 6/8	2060-Y20R
112257	g	10 YR 6/1	1502-Y
112265	d. r.	10 R 4/8	4060-Y80R
112265	l. r.	2.5 YR 4/8	4050-Y70R
112265	r	10 R 4/8	4060-Y80R
117323	g		2040-R20B
117323	p		1050-R10B
117329	g	10 YR 6/2	1010-Y30R
117329	o.ho	10 YR 6/8	1080-Y20R
117333	b		1020-B10G
117334	p		1050-R20B
117335	l. b		2040-B
117335	d. b		5040-B
117338	b		2040-R90B
117342	p. he		3030-R30B
117342	p. ho		2050-R20B
117356	r	10 YR 3/6	4040-Y90R
117357	r	10 YR 3/6	5040-Y90R
117359	g		5010-G10Y
117359	o	10 YR 6/6	2040-Y20R
117359	w		2070-Y20R
117360	r	10 R 4/8	4060-Y80R
117363	b		3050-R90B
117364	gr		2060-G10Y
117365	p	7.5 YR 3/4	1040-R10B
117365	v	5 YR 6/4	6010-R50B
117368	w		0005-Y20R
117374	o	10 YR 5/8	1070-Y20R
Pink s.n.	p		2020-Y90R

Tab. 2 – Measurement of colour through Munsell and NCS Tables.

samples examined are summarized in Tab.2. Colours are identified by various notations, that is different colours and nuances are present. We observe only that some colours with similar visual aspect have notation identical or very near, such as nr. 112265 and 117360. The number could be used later on to identify the bowls, whether an exchange may take place or an alteration due to some environmental agent will start. As can be observed, some Munsell codes are lacking, and this is because no such nuances have been found in the Tables, particularly white and blue colours.

4.2 *Examination of X-Ray Diffractograms*

The results obtained by the examination of the diffractograms obtained are summarized in Tab. 3. It can be observed that the data already supply a wide picture on the nature and composition of the bowl pigments. It is to be observed that quartz is present in a great portion of the pigments, sometimes even in abundant quantity. It could be derived from the raw material employed for the preparation of the pigment, from intentional addition as a brighting agent or from the ma-

terial of the mortar where the powder was prepared. We are inclined for the second hypothesis, though in the case of natural earths, such as the ochres, its presence is predictable at the beginning of preparation. The presence of quartz in the blues, that are always made of cuprorivaite, that is of Egyptian blue, in great part can be due to the wrong ratio among the ingredients used for the preparation of this synthetic pigment.

Singular is the presence of cerussite in fair quantity in the blue nr. 117338. The temperature at which Egyptian blue was prepared, though not known, must have been between 800 and 900°C,[18] where calcium carbonate (and also cerussite) decomposes to oxide and CO_2.

Note (1) Symbols in all tables are: Am = amorphous, An = anatase, Ap = apatite, Ar = aragonite, Au = augite, C = carbon, Ca = calcite, Ce = cerussite, Cu = cuprorivaite, Do = dolomite, Go = goethite, He = hematite, Hu = huntite, Il = illite, Ka = kaolinite, Ja = jarosite, Ma = malachite, Mg = magnetite, Ms = massicot , Au = augite, Ma = malachite, Or = orthoclase, Q = quartz, TR = traces, b = blue, d = dark, g = grey, gr = green, he = heterogeneous, ho = homogeneous, l = light, o = ochre, p = pink, r = red, v = violet, w = white, y = yellow

Therefore, the presence of $PbCO_3$ indicates that this compound had been added subsequently, or as a diluent in order to obtain a clearer blue or accidentally.

Concerning the ochres, it can be observed that some are composed either only of goethite or only of hematite, whereas two samples appear to be mixtures of the two. The presence of the two compounds could be due to a mixing of two ochres for obtaining intermediate nuances or to the nature of the mine deposit from where the raw material came. However it is well known how goethite can easily transform into hematite by heating to temperatures around 300°C.[19] In other ways it has been ascertained that in Pompeii the temperature in 79 A.D. could have reached such values,[20] as can be seen in many houses, such

Pigment nr.	Ca	Ar	Do	Ce	Ma	Hu	Cu	Il	Ka	Ja	Qz	He	Go	Am
112228s.s						XXX								
112228c.s.	X	XXX												
112232 o									XXX					
112249 r										?	XX			
112249 o			?					X	XX		XX		X	
112251r.he.	?		?							?	X		X	
112251r.ho.											XX	XX		
112257o.he.			TR					TR			X		X	
112257o.ho.	X										XX	TR	TR	
112265 d.r.	X									X	TR	XXX		
112265 r												XXX		
112265 l.r.	TR							TR			X	X		
117323 d.p														yes
117323 g											X			yes
117323 p											X			yes
117329 o											TR	XX	XX	
117333 b							XX							
117334 p														yes
117335 l.b							XXX				X			
117335 d.b							XX				X			
117338 b				X			XX				X			
117342 p.ho	X		X				X							
117356 r	X								TR	X	XX			
117357 r												XXX		
117359 g								X			X			
117359 o									TR		X		X	
117359 w			XXX									X		
117360 r												XX		
117364 gr					XXX									
117365 p													XX	
117365 v							XXX				X			
117368 w	X	XXX												
117374 o											X	X	X	
Pink s.n.														yes

Tab. 3 – Content of the bowl pigments examined according to X-ray diffraction. The number of X is proportional to the abundance of the component indicated.

Pigment nr.	Ca	Ar	Do	Ce	Ma	Hu	Or	Cu	Au	Ap	Ja	Qz	He	Go	Mg	An	Ms	C	?
112228s.s.						100													
112228c.s.	50	50																	
112232 o											100								
112249 r													100						
112249 o	1												44	2	1	7			45
112251 he								2					96		2				
112251 ho													99		1				
112257 he	45													50				5	
112257 ho	7						3	5				5	38	37					5
112257 g	10						70						20						
112265 r	1							2	1				91			5			
117329 g	30								2				2	4		30		3	29
117329 o												5	45	45					5
117333 b			17				20	40	2			16			2			1	2
117335 b		10			3		10	20				10				10	36		
117338 b				34				39				8				9			10
117342 ho	15				3		18										2		62
117356 r	1											17	82						
117357 r												5	91						4
117359 o												15	35	50					
117359 w			100																
117360 r	3												97						
117363 b	8							60	18			13					1		
117364 gr	4				78			2		4	4						8		
117365 p														60			5		35
117365 v								10				45							45
117368 w	33	34																	33
117374 o				1				25				1	36	35			1		1

Tab. 4 – Percentage of the pigment components as detected by the Roman spectra.

the "Casa del Centenario", the "Casa del Menandro" and the "Casa di Iulius Polybius". Here, on the wall originally painted in yellow ochre, red hematite stripings can be seen, indicating its trasformation into hematite. The wall paintings are not completely transformed into hematite because only in certain places the temperature was about 300°C; in other places, where burning beams were not falling down from the ceilings, the ochres remained unchanged.

It can be observed that all the pink materials are amorphous in nature.

4.3 *Infrared, microRaman and DSC measurements*

The results of Raman microscopy are summarized in Tab.4 and those of the three techniques together in Tab. 5. In Tab. 5 X is for X-ray diffraction, R for Raman microscopy, I for IR spectroscopy.

The IR spectrum (fig. 1a) of the block with inventory nr. 112228 with inscription ATTIORU(M) corresponds to that of aragonite together with a small quantity of calcite and quartz. In fact bands at 2522 w, 1787 w, 1489 vs, 1082 w, 855 s, 700

Pigment nr.	Ca	Ar	Do	Ce	Ma	Hu	Or	Cu	Au	Il	Ka	Ap	Ja	Q	He	Go	Mg	An	Ms	Am
112228 s.s						XRI														
112228 c.s.	XRI	XRI												I						
112232 o													XRI	I						
112249 r											I			I	XRI					
112249 o	R								X		XI			X	R	XRI	R	R		
112251 r. he							R							XI	RI	X	R			
112251 r. ho											I			XI	XRI					
112257 o. he	RI		X								X	I		XI		XRI				R
112257 o. ho	XRI						R	R			I			XRI	XR	XRI				
112257 g	R						R								R					
112265 d.r.	XRI						R		R				X	X	XRI				R	I
112265 r	I														XI					
112265 l.r.	X									X				XI	XI					I
117323 d.p	I																			X
117323 g	I													X						X
117323 p	I													X						X
117329 o											I			RI	RI	RI				
117329 g	RI							R							R	R		R		RI
117333 b	I		R				R	XRI	R					R				R		R
117334 p	I																			XI
117335 b		RI			R		R	XRI						XRI				R		
117335 b	I							XI						XI						
117338 b		I		XR				XRI						XRI					R	
117342 p. ho	I		X		R		R	X						R						RI
117356 r	XRI										XI			XRI	XRI					
117357 r	I										I			RI	RI					
117359 g	I								X					X						
117359 o	I										XI			XR	RI	XRI				
117359 w			XRI											I	X					
117360 r	R										I				RI					
117363 b	RI							RI	R					R						R
117364 gr	R				XRI			R					R	R						
117365 p	I															R				RI
117365 v	I							XRI						XR						
117368 w	XR	XRI												I						
117374 o	I			R				R						XR	XR	XRI			R	

Tab. 5 – A comparison of the X-ray, Infrared and Raman techniques. X, I, R represent the detection of the compound by the three techniques, respectively.

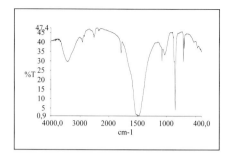

Fig. 2 – IR spectrum (1600-400 cm⁻¹) (a) and Raman spectrum (b) recorded on sample 112228 c.s.

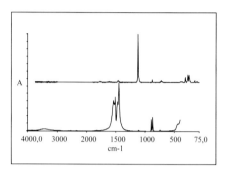

Fig. 3 – IR (a) and Raman spectra (b) (4000-75 cm⁻¹) recorded on sample 112228 s.s.

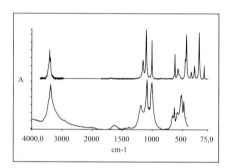

Fig. 4 – IR (a) and Raman spectra (b) (4000-75 cm⁻¹) recorded on sample 112232.

w cm⁻¹ are recorded that are characteristic of aragonite, as well as bands at 872 and 713 cm⁻¹ characteristic of calcite and the bands at 1034 m, 805 vw, 785 vw, 536 vw and 472 vw cm⁻¹ of quartz. The most intense band of calcite at 1400 cm⁻¹ is overlapped by the corresponding band of aragonite. The Raman spectra recorded in different points of the samples confirm the presence of calcite and of aragonite (with bands at 1085, 704, 206, 153 cm⁻¹) about in the same proportions. With heating to 600°C transformation of aragonite to calcite took place, as confirmed by IR spectra.

The IR spectrum of pigment nr. 112228 s.s. (fig. 3) corresponds to huntite, as indicated also by X-ray diffraction. In the spectrum some

strong bands appear at 1538, 1509, 1465, 1445, 892 and 870 cm⁻¹ besides some weak bands at 1113 and 743 cm⁻¹ that are pertinent to the huntite spectrum, as reported by van der Marel and Beutelspacher[21] and as confirmed by a spectrum recorded by us on a huntite sample supplied by the Museum of Earth Sciences of the University of Bologna. Also according to the Raman spectra this block is composed of huntite with bands at 1121, 877, 724, 315, 271, 252 cm⁻¹. The DSC measurement shows that a transformation takes place at the higher limit with formation of a mixture of calcite and MgO, as confirmed by the IR spectum recorded on the final powder.

The ochre pigment of the bowl nr. 112232 exhibits an IR spectrum (fig. 4a) with a sharp band at 3383 cm⁻¹, characteristic of the presence of hydroxyls, and sharp bands at 1190 m, 1088 s, 1005 s, 663 w, 632 m, 583 m, 519s and 480 m cm⁻¹. This spectrum corresponds in details to that of a sample of jarosite from Sud Dakota supplied by the Museum of Earth Sciences of Bologna, and that of van der Marel[22] and of Powers et al.[23] with traces of quartz. Also the Raman spectra confirmed this attribution (fig. 4b). With heating to 600°C a red powder is formed that an IR spectrum reveals to be composed of hematite and sulphates of iron and potassium.

The yellow pigment in bowl 112249 shows in the hydroxyl region the pattern 3694 m, 3650 w, 3620 m cm⁻¹ that is characteristic of the IR spectrum of kaolinite (fig. 5). This attribution is confirmed by the strong bands at 1030 and 1007 cm⁻¹, besides those at 912, 798, 694, 538 and 470 cm⁻¹. This spectrum corresponds well to the one of kaolinite reported by van der Marel and Beutelspacher.[24] The band at 797 cm⁻¹ with a shoulder at 780 cm⁻¹ is relatively stronger than predicted because it overlaps the band of quartz situated in the same range. Also the bands at 538 and 470 cm⁻¹ are very near to the ones of hematite and therefore are overlapped with them. Only a trace of goethite with the band at 3386 cm⁻¹ referrable to

hydroxyls is detected. The Raman spectra indicate the presence of hematite, traces of calcite, anatase, goethite and perhaps magnetite (band at 660 cm⁻¹). The thermograms shows some transformation taking place in the pigment leading to dehydroxylation of kaolinite at high temperatures (550°C) and of goethite to hematite at low temperatures (290°C).

On the pigment nr. 112249 a second sample with a dark red colour was taken. The IR spectra show a smaller proportion of kaolinite and a higher one of hematite in comparison with the previous sample, and a trace of quartz. The Raman spectra indicate the presence of practically pure hematite. In this sample too the heating to 600°C determines the dehydroxylation of kaolinite.

The IR spectrum recorded on a pellet of the red heterogeneous pigment 112251 reveals the presence of quartz and hematite. The Raman spectrum indicates the presence of hematite with traces of magnetite and orthoclase (bands at 520, 475 and 279 cm⁻¹). The corresponding pigment called homogeneous (fig. 6) is still formed by hematite, but

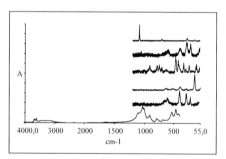

Fig. 5 – IR and Raman spectra (4000-75 cm⁻¹) recorded on sample 112249, identified as kaolinite with hematite (a) , kaolinite (b), anatase (c), goethite (d) and hematite with magnetite (e).

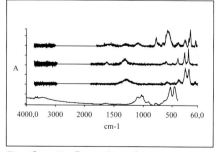

Fig. 6 – IR (bottom) and Raman spectra (above) (4000-60 cm⁻¹) of homogeneous sample 112251 upwards identified as: kaolinite with hematite, hematite, hematite with magnetite, magnetite with a mica.

with a given quantity of kaolinite indicated by the bands at about 3600 cm⁻¹ and the strong band at 1033 cm⁻¹. In the Raman spectra the pattern typical of hematite is ascertained with traces of kaolinite and a mica. The usual transformations take place when the powder is heated to 600°C.

The homogeneous pigment of the bowl nr. 112257 gives an IR spectrum that indicates the presence of a percentage of kaolinite together with goethite; characteristic of the latter are the bands 3386 cm⁻¹ (referrable to stretching vibrations of goethite hydroxyls) and the components at 1030, 1007, 912 cm⁻¹ referrable to vibrations of the Si-O groups. There are also traces of calcite and quartz. The corresponding Raman spectra show the presence of hematite and goethite as main components, traces of calcite, orthoclase, quartz and Egyptian blue. Some of the less abundant components could be due to contamination with the environment (orthoclase) or with other nearby bowls (Egyptian blue). In the DSC thermogram there are endothermal peaks at 300°C indicating dehydroxylation of goethite, and at 550°C indicating dehydroxylation of kaolinite. The heterogeneous fraction exhibits kaolinite and goethite together with hematite in a smaller quantity, calcite and quartz. The Raman spectra indicate the presence of goethite and calcite, traces of amorphous carbon (two broad bands at 1630, 1350 cm⁻¹). In the thermogram an endothermal peak can be observed attributable to the dehydroxilation of goethite to hematite, as confirmed by an IR spectrum recorded on the final product. A grey fraction of the same pigment shows in the IR spectra only a strong and broad band at about 1024 cm⁻¹ that can be attributed to amorphous silica. The Raman spectra reveal an abundant fraction of orthoclase and a smaller one of hematite and calcite.

The dark red pigment nr. 112265 identified as *syricum* by Augusti, contains a fraction of calcite with a feldspar; the lighter product shows quartz with hematite; the IR spec-

trum of the granular part shows the bands characteristic of calcite with the same silicate of the first fraction and hematite. According to the Raman spectra (fig. 7) there is hematite with traces of calcite, orthoclase (520, 475, 280 cm⁻¹), and small percentages of anatase, augite (bands at 1005, 664 and 330 cm⁻¹) and carbon. No peaks have been observed in the thermogram up to 600°C.

The pigment nr. 117323 was in the shape of pink cubes. The powder taken exhibits an IR spectrum corresponding to an amorphous silicate or amorphous silica with a little calcite. The fraction with an intense pink colour and the one with grey colour give the same IR spectrum. The pink colour, that disappears on heating, is referrable to an organic compound, and according to the indications of Augusti it should be the *purpurissum*, the *purpura* of ancients adsorbed on a fossil flour, but in so low a concentration that no IR bands are visible. It could also be an imitation of *purpura*, the woad dye known by the Romans. The Raman spectrum is not significant because of a high background fluorescence. The DSC measurements carried out on the three samples present weak endothermal peaks at 130 and 250°C. The powder obtained is grey, thereby indicating the carbonization of the pink dye.

The grey pigment nr. 117329 can be interpreted, on the basis of the IR spectrum, as a mixture of calcite and an amorphous silicate. According to the Raman spectrum in this powder there are calcite, anatase and an abundant unknown fluorescent compound. The powder of the same bowl with an ochre colour exhibits an IR spectrum showing clearly the presence of kaolinite with goethite and traces of quartz. After heating to 600°C the red product obtained gives a spectrum with the bands of quartz and hematite. In the Raman spectra of the ochre powder (fig. 8) the components of goethite and hematite about in the same quantity and traces of quartz can be observed.

In the bowl nr. 117333 there was a pigment giving an IR spectrum with

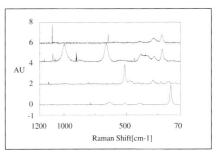

Fig. 7 – Raman spectra (1200-75 cm⁻¹) of sample 112265 upwards identified as anatase, orthoclase, hematite with augite, hematite with calcite.

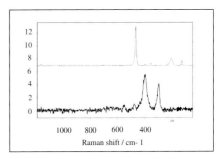

Fig. 8 – Raman spectra (1190-50 cm⁻¹) of sample 117329 upwards identified as goethite and quartz with calcite.

the bands characteristic of cuprorivaite[25] mixed with calcite, with no variations on heating to 600°C. The Raman spectra indicate cuprorivaite[26] as the main component, followed by orthoclase, dolomite, quartz and traces of augite, magnetite and amorphous carbon. No peaks are observed in the thermograms.

The pink pigment nr. 117334 on the basis of the IR spectrum is an amorphous silica with a little calcite. The dye is surely purpura, adsorbed on a silica base. However it is present in so small a concentration that no IR peaks are detected. Due to fluorescence no Raman spectra could be recorded as for nr. 117323. After heating to 600°C the powder is grey, thereby indicating decomposition of the dye, that is present in so low a concentration not to give peaks in the thermograms.

The blue powder in the bowl nr. 117335 exhibits an IR spectrum (fig. 9) containing the components of cuprorivaite (1054 vs, 1009 m, 755 m, 664 s, 522 m, 482 s, 424 m cm⁻¹) with those of quartz and aragonite (1475 s, 860 m, 713 s cm⁻¹). The coarser fraction is cuprorivaite with a lit-

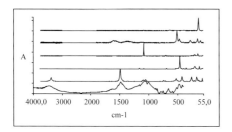

Fig. 9 – IR (bottom) and Raman spectra (4000-55 cm⁻¹) of sample 117335 upwards identified as: cuprorivaite with aragonite, malachite, quartz, aragonite, orthoclase and anatase.

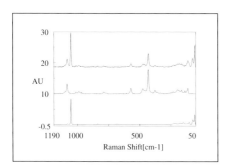

Fig. 10 – Raman spectra (1200-60 cm⁻¹) of sample 117338 upwards identified as cerussite, cuprorivaite with quartz, cerussite with cuprorivaite.

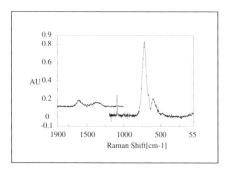

Fig. 11 – Raman spectra (1900-55 cm⁻¹) of sample 117359 grey identified as a feldspar with calcite (right), calcite with carbon (left).

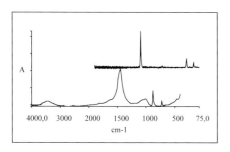

Fig. 12 – IR (bottom) and Raman spectra (top) (4000-75 cm⁻¹) of white sample 117359, identified as dolomite.

tle calcite and quartz. The Raman spectra testify the presence of cuprorivaite and lesser quantities of aragonite, orthoclase, quartz, malachite and anatase. The thermograms contain a peak at 380°C that could be referred to the transformation of aragonite to calcite. This phase is effectively ascertained in the IR spectrum recorded after the heating.

The pigment in the bowl nr. 117338 is well identified by IR as *ceruleum*, cuprorivaite with low quantities of aragonite and traces of quartz. According to the Raman spectra, there are cuprorivaite and cerussite (characteristic bands at 1052 s, 421 w, 321 w cm⁻¹) as more abundant components (fig. 10), with traces of quartz, hematite and massicot (not reported in the fig. 10). The thermograms recorded during the heating to 600°C show a broad peak at 370°C that can be attributed to the transformation of aragonite to calcite and to the decomposition of cerussite.

The bowl nr. 117342 certainly contains *purpurissum*: the pink homogeneous fraction is in fact made in part of amorphous silica and a little calcite; the heterogeneous one vitreous silica with only traces of calcite. The Raman spectra indicate about 62% of an unidentified compound that should be the amorphous part, together with orthoclase, calcite and traces of malachite and amorphous carbon. The thermograms recorded up to 600°C exhibit only weak endothermal peaks at 140 and 240°C that can be related to a loss of water differently bound to the surface of the material.

The bowl nr. 117356 with red ochre pigment gives an IR spectrum with the bands of kaolinite, calcite, quartz and hematite. The Raman spectra indicate hematite as the main component with quartz and traces of calcite. The pigment could be a *rubrica*. The DSC measurement shows weak and broad peaks, but after the heating to 600°C an IR spectrum recorded testifies that kaolinite is dehydroxylated.

The red ochre in the bowl nr. 117357 has a brown part that, from the IR spectrum, can be analysed as com-

posed of kaolinite, calcite, quartz and hematite, as the previous one. In the Raman spectra the presence of hematite, traces of quartz and an unknown compound can be ascertained. By DSC two endothermal peaks can be observed in the thermograms, at 250 and 330°C, that can be referred to a loss of water molecules bound to some of the components.

The pigment nr. 117359 has supplied 3 samples white, grey and ochre in colour, respectively. The white portion gives the IR spectrum of *dolomite* (figs.11-12) with bands at 1456, 883 and 730 cm⁻¹ and traces *of quartz*; the grey one contains illite, quartz and traces of calcite and carbon; the ochre grains kaolinite with goethite and traces of calcite. The Raman spectra of a yellow grain indicate dolomite, in other positions Egyptian blue and hematite. The white portion is pure dolomite. In the thermogram there is only one peak at about 280°C that can be related to the loss of some water bound to a component.

The pigment nr. 117360 is a red ochre and, on the basis of the IR spectra recorded, contains kaolinite mixed with hematite, with traces of quartz. The Raman spectra indicate a prevalence of hematite with traces of calcite. No DSC peaks are observed, but the IR spectrum recorded on the final product showed that the kaolinite is dehydroxylated.

The bowl nr. 117363 contains blue balls that, when reduced in powder, give the IR spectrum of cuprorivaite with traces of calcite. A sharp peak at 3638 cm⁻¹ can be attributed to vibrations of OH of a species present. This identification is confirmed by the Raman spectra (fig. 13), that moreover reveal quartz and augite.

The emerald green pigment contained in the glass cup nr. 117364 is practically pure malachite, and it corresponds to the pigment known as *armenium*. In fact the IR spectrum (fig. 14) has the bands at 3404 and 3314 cm⁻¹ attributable to hydroxyls and at 1500, 1421, 1386, 1097, 1047, 873, 820, 778, 749, 712, 571, 524, 505 and 429 cm⁻¹ corresponding to those observed in the literature.[27] The Raman spectra instead indicate only 78% of malachite and presence of calcite, quartz, apatite and cuprorivaite.

The powder nr. 117365 again can be identified as a sample of *purpurissum*: in fact its colour has its typical nuance and the IR spectrum shows the bands of an amorphous silica with traces of calcite. The corresponding Raman spectrum indicates the presence of goethite together with an unknown compound (that again could be the vitreous phase) and traces of amorphous carbon (broad bands at 1370 and 1580 cm⁻¹). A fraction with deep purpura colour is cuprorivaite with some calcite. According to the Raman spectrum, quartz is prevailing, and is accompanied by about 10% of cuprorivaite and a big proportion of crystals with high fluorescence. With the heating to 600°C the powder becomes grey, thus indicating that a carbonisation of the dye has taken place.

The white pigment in the bowl nr. 117368 is formed by aragonite with traces of quartz (fig. 15). Raman microscopy indicates aragonite, calcite and dolomite. The thermograms recorded on the powder have an endothermal peak at 350°C due to the transformation of aragonite into calcite, as confirmed by an IR spectrum recorded after the heating to 600°C. The pigment could be *paraetonium*, as suggested by Augusti, but aragonite could come also from sea shells, elsewhere employed as white pigment (shell white).

The yellow pigment contained in the bowl nr. 117374 is composed by goethite (fig. 16) with calcite and a silicate, perhaps kaolinite, with traces of hematite. The Raman spectra indicate goethite and hematite as main components and a significant portion of Egyptian blue with traces of quartz, cerussite and massicot. After heating to 600°C on the basis of IR spectra it can be seen that the mixture is composed by hematite, quartz and calcite. The thermograms exhibit an endothermal peak at 280°C that could be related to the dehydroxylation of goethite.

Finally, the pink pigment in the bowl without number appears to be *purpurissum* on the basis of the IR spectra and the comparison with the preceding ones, with traces of calcite. No Raman spectra could be recorded on it. The DSC measurements is as for the preceding pink pigments.

5. Discussion and Perspectives

The heterogeneity of the products could indicate that the bowls considered were employed many times with different colours, without cleaning them completely. The sporadic presence of some constituents of soils, such as orthoclase or other silicates, could indicate a contamination with Pompeii soil, during the period of use or after 79 A.D. It is also probable that these ingredients were part of other raw materials commonly added to the powder for the particular painting techniques used.

By these investigations it was possible to ascertain the presence of two "new" pigments, that is huntite and jarosite. These two compounds are interesting because they are present in Italian geological districts. Huntite is found in Tuscany mines where it formed as an alteration product of magnesite. Its formula being $CaMg_2(CO_3)^3$, it could be easily overlooked by Augusti, because, when finding Ca, Mg and $CO^{3=}$ ions, he concluded it to be dolomite. The latter is also present in other samples, but not in this block of pigment. Huntite was found in Egyptian wall paintings and papyri.[28]

The presence of jarosite is more complex, because Augusti, with his methods, determined the presence of many cations and anions in the material examined, but did not define its composition naming it as "iron ochre". Jarosite has been found in a number of pits in Elba and Sardinia, besides many places where there are iron minerals, as sulphuric alteration of iron hydroxides and oxides. The found pigment therefore can have an Italian origin. Jarosite was employed in ancient Moravian ceramics as yellow decorations applied after burning.[29]

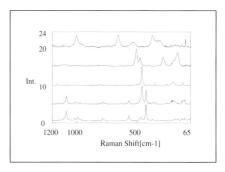

Fig. 13 – Raman spectra (1200-65 cm⁻¹) of sample 117363 upwards identified as cuprorivaite, cuprorivaite with quartz, quartz, orthoclase, augite.

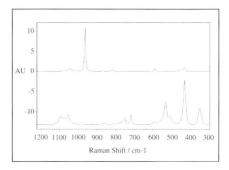

Fig. 14 – IR (bottom) and Raman spectra (above) (4000-75 cm⁻¹) of sample 117364 upwards identified as: malachite and apatite.

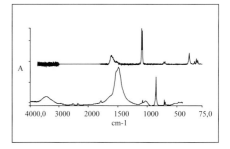

Fig. 15 – IR (bottom) and Raman spectra (4000-75 cm⁻¹) of sample 117368 upwards identified as aragonite, aragonite with dolomite.

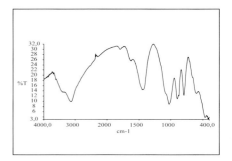

Fig. 16 – IR spectrum (4000-400 cm⁻¹) of sample 117374 identified as goethite with calcite.

It remains uncertain how practically pure jarosite and huntite could have been obtained.

In a number of cases the pigments have been found to be mixtures and this fact may rise the question on whether they were so composed in nature or artificially prepared to obtain desired nuances. Indeed the so-called ochres offer a complex picture where iron oxides, quartz, calcite and other minor components can be found and may constitute a clear indication of the geological provenance. At the present state of the art of the research this question cannot be answered: a chemical analysis of the traces combined with those of the Italian mines could shed light into the problem. In other cases the mixture could be bound to the technique of pigment preparation before wet application to walls. In the case of artificial pigments, such as Egyptian blue, samples with only cuprorivaite have not been observed, as they contains variable percentages of quartz, besides compounds such as orthoclase, cerussite, etc. The presence of quartz can be due to the method of synthesis of the material, needing the use of sand, calcite, a copper salt or copper metal or bronze and a flux. The presence of cerussite is a clear indication of the preparation of the pigment for wall painting, because it is decomposed above 600°C to PbO and CO_2 and therefore it cannot exist at the temperature of cuprorivaite formation, that is at

about 800°C. The confirmation of the high heating temperature for the preparation of cuprorivaite is given by the absence of calcite in almost all samples, because it is decomposed to CaO and CO_2 at about 800°C. Only in a few sample there is a small percentage of calcite, that could come from the grinding method (wet grinding with the waters of Sarnus river?). The use of dilution with cerussite or aragonite instead of calcite could be related to the covering power of the white pigments.

The high number of pigments or components that sometimes are present in the powders also could be related to the technique of pigment preparation, but also to the fact that small contaminations could come from the use of stone mortars and pestles even when wet grinding was carried out.

Another relevant fact is the apparent unmatching among the results of the techniques here employed, at least in some cases. These facts can find an explanation referring to the characteristics of the methods. The IR spectra supply a mean information on the surface of the pellet studied, where components present in concentrations less than 1 % cannot be detected; likewise with X-ray diffraction. On the contrary Raman spectra can be recorded on single crystals of only 1 mm size and enable a detailed study of a mixture, but could not determine the presence of some compounds

such as fluorescent or ancient vitreous mixtures. Amorphous compounds, such as carbon cannot be detected by X-ray diffraction, whereas IR spectra can show very broad bands with low diagnostic value. Raman microscopy has been the only one enabling the presence of some compounds, such as augite, orthoclase, anatase and amorphous carbon, to be identified. For amorphous carbon Raman is one of the few methods to determine its presence, though, in this specific case, the conservation of the bowls in open air without protection can indicate also an environmental pollution.

Finally, it was not possible to attribute the pink pigment to a given compound by means of the techniques employed because X-ray diffractograms and IR spectra have low sensitivity and the Raman spectra had a high fluorescence background.

ACKNOWLEDGEMENTS

We must thank P.G. Guzzo, director of the Soprintendenza Archeologica of Pompeii, for having started this research; Mrs. Borriello, director of the Museo Archeologico Nazionale of Naples for her kindness during the drawing of samples; thanks also to Prof. Daniela Scagliarini Corlaita of the University of Bologna, Full Professor of Archaeology and History of Roman Art, for having planned a research with us starting from these first samples. The research has been carried out with financial support of the Italian CNR with grant n° CNRC00BEAC_002.

NOTES

[1] AUGUSTI 1967.

[2] MONTAGNA 1993.

[3] CHAPTAL 1809.

[4] DAVY 1815.

[5] PALMIERI 1875.

[6] PLINIO, *Naturalis Historia*, in particolare i passi contenuti nel trentatreesimo libro (XXXIII, 1-5; XXXIII, 111-2; XXXIIII, 115-3; XXXIII, 158-4).

[7] VITRUVIO, *De architectura*, in particolare VII, 6; VII, 10, 1.

[8] TEOFRASTO, *De lapidibus*, LV e ss.

[9] Si veda, a questo proposito, un antico inventario manoscritto conservato presso la Soprintendenza Archeologica di Napoli e steso di mano in mano (AUTORI VARI, *Antico inventario commestibili. Pompei*).

[10] AUGUSTI 1967.

[11] VITRUVIO, *De architectura*, VII, 14, 2.

[12] AUGUSTI 1967.

[13] Plinio, *Naturalis historiae*, XXXV, 16.

[14] FELLER 1986; ASHOK 1993; FITZHUGH 1997.

[15] MUNSELL 1975

[16] FARBATLAS 1979

[17] VAN DER MAREL - BEUTELSPACHER 1976; NYQUIST 1997; BURGIO - CLARK 2001; BELL 1997.

[18] BARALDI - BONDIOLI - FAGNANO - FERRARI - TINTI - VINELLA 2001.

[19] WALTER - BUXBAUM - LAQUA - THERMAL, 2001.

[20] CIARALLO - DE CAROLIS 2001.

[21] VAN DER MAREL - BEUTELSPACHER 1976.

[22] VAN DER MAREL BEUTELSPACHER 1976.

[23] POWERS - ROSSMAN - SCHUGAR - GRAY 1975.

[24] VAN DER MAREL - BEUTELSPACHER 1976.

[25] BARALDI - BONDIOLI - FAGNANO - FERRARI - TINTI - VINELLA 2001.

[26] BURGIO - CLARK 2001.

[27] VAN DER MAREL - BEUTELSPACHER 1976.

[28] OLSSON - CALLIGARO - COLINART - DRAN - LOVESTAM - MOIGNARD - SALOMON, 2001.

[29] KRUTA - LICKA 2000.

BIBLIOGRAPHY

ASHOK 1993 = R. ASHOK (ed.), *Artists' pigments. A handbook of their history and characteristics*, Oxford 1993.

AUGUSTI 1967 = S. AUGUSTI, *I Colori pompeiani*, Roma 1967.

BARALDI - BONDIOLI - FAGNANO - FERRARI - TINTI - VINELLA, = P. BARALDI, F. BONDIOLI, C. FAGNANO, A.M. FERRARI, A. TINTI, M. VINELLA, *Study of the vibrational spectrum of Cuprorivaite*, in *Annali di Chimica*, 91, 2001, p. 679.

BELL - CLARK - GIBBS = BELL I. M.- CLARK R. J. H. - GIBBS P.J, *Raman spectroscopic library of natural and synthetic pigments (pre ~1850 A.D.)*, in *Spectrochimica. Acta*, 53A, 1997, p. 2159-2179.

BURGIO - CLARK 2001 = L. BURGIO - R.J.H. CLARK, *Library of FT-Raman spectra on pigments, minerals, pigment media and variables, and supplement to existing library of Raman spectra of pigment with visible excitation*, in *Spectrochimica. Acta*, 57A, 2001, pp. 1491-1521.

CHAPTAL 1809 = M. CHAPTAL, *Sur quelques couleurs trouvées a Pompei*, in *Annales de Physique et Chimie*, 70, 1809, p. 22.

CIARALLO - DE CAROLIS 2001 = CIARALLO - DE CAROLIS (a cura di), *La casa di Giulio Polibio, Studi interdisciplinari*, Tokyo 2001.

DAVY 1815 = H. DAVY, *Some experiments and observation on the colours,* in *Philosophical Transactions of the Royal Society*, 105, 1815, p. 97.

FARBATLAS 1979 = FARBATLAS, *Natural Colour System*, Uppsala 1979.

FELLER 1986 = R. L. FELLER (ed.), *Artists' pigments. A handbook of their history and characteristics*, Oxford 1986.

FITZHUGH 1997 = E. W. FITZHUGH (ed.), *Artists' pigments. A handbook of their history and characteristics*, Oxford 1997.

KRUTA - LICKA 2000 = V. KRUTA - M. LICKA (eds.), *Prime terrecotte dal cuore dell'Europa. Ceramiche dei cacciatori e dei primi agricoltori di Boemia e Moravia, 27000-4000 a.C.*, Sceaux 2000.

MONTAGNA 1993 = G. MONTAGNA, *I pigmenti, prontuario per l'arte e il restauro*, Firenze, Nardini, 1993.

MUNSELL 1975 = A.H. MUNSELL, *Soil Colour Charts*, Baltimore 1975.

NYQUIST - KAGEL 1997 = R.A. NYQUIST - R.O. KAGEL, *Handbook of IR & Raman Spectra*, Academic Press 1997.

OLSSON - CALLIGARO - COLINART - DRAN - LOVESTAM - MOIGNARD - SALOMON 2001 = A-M. B. OLSSON, T. CALLIGARO, S. COLINART, J.C. DRAN, N.E.G. LOVESTAM, B. MOIGNARD - SALOMON, *Micro-pixe Analysis of an Egyptian Papyrus, Raman Spectroscopy in Cultural Heritage*, London 2001.

PALMIERI 1875 = P. PALMIERI, *Ricerche chimiche sopra dodici colouri trovati a Pompei*, in *Il giornale degli scavi di Pompei,* 25, 1875, p. 159.

POWERS - ROSSMAN - SCHUGAR - GRAY 1975 = D. POWERS, G. ROSSMAN, H. SCHUGAR, H. GRAY, *Magnetic behavior and infrared spectra of jorosite, basic iron sulfate, and their chromate analogs*, in *Journal of Solid State Chemistry*, 13, 1975, p.1.

VAN DER MAREL - BEUTELSPACHER 1976 = H.W. VAN DER MAREL - H. BEUTELSPACHER, *Atlas of IR Spectroscopy of Clay Minerals*, Amsterdam 1976.

WALTER - BUXBAUM - LAQUA 2001 = D. WALTER, G. BUXBAUM, W. LAQUA, *The Mechanism of the Thermal Transformation from Goethite to Hematite*, in *Journal of Thermal Analalysis and Calorimetry,* 63, 2001, p. 733-748.

Vitruve
Le savoir de l'architecte

de
Antonio Viola

ABSTRACT

This research studies the possible link between two cognitive environments: the organization of architectural knowledge and the encyclopedic model.
This large field of thinking rotates around the comparison between two specific cognitive forms: firstly, the organization of knowledge as employed by Vitruvius *in* De Architectura; *secondly, the new encyclopedic model which was developed in a family of experiences founded by the* Encyclopédie *of Diderot and d'Alembert.*
To establish this analogy, and to make these two objects comparable, we had to look at De Architectura *as an organizational scheme of knowledge.* Vitruvius, *provides the key to advance in this approach by building his treaty according to the definition of architecture as an encyclopedic discipline* "encyclios disciplina".
The original and innovative scope of the vitruvian cognitive model resulted in the word encyclios entering modern culture during the Renaissance. It conveyed the modern concept of the encyclopedia, understood as a tool for invention and research.
Through this historical and hermeneutical study, we interpreted De Architectura *objects as forms of knowledge (by category, syntactic and semantic). We described the identified modes of their transmission (by discipline, by teaching, and encyclopedic) so as to formalize a knowledge model.*
This results in a original approach and a critical translation of De Architectura; *the first that highlights the organization of knowledge of the treaty. As well as the opportunity for architectural theory, which continues to redefine itself, to find itself and to confront another experienced cognitive model.*

Praticien ou théoricien, humaniste ou scientifique, artiste ou technicien, génial ou discipliné, spécialiste ou bien généraliste: Vitruve est encore l'incommode symbole de toutes les contradictions qui hantent le métier de l'architecte. Cette difficulté à définir le champ disciplinaire de l'architecture se reflète inévitablement dans la traduction de l'œuvre vitruvienne. Est-il nécessaire d'interroger encore le *De Architectura*? Dans ce cas, que chercherons nous dans le *De Architectura* qui n'ait pas été dévoilé? Comment le traduire? Avec quel «traducteur»?[1]
Si les objets contenus dans le traité de Vitruve ont été amplement analysés et interprétés, ce n'était pas le cas pour la systématique employée. Cette organisation des connaissances est considérée par la critique comme fumeuse, lacunaire, inachevée, imprécise, inintéressante, et surtout marginale dans la réflexion sur l'œuvre vitruvienne.

Le travail de traduction proposé est fondé sur le «possible lien» «entre deux univers cognitifs: l'organisation des savoirs du *De Architectura* et certains modèles de systématisation des connaissances.
Pour mettre en œuvre cette analogie, nous avons dû rendre comparables les deux objets, en amenant le *De Architectura* à la forme de modèle d'organisation de connaissances. Vitruve lui-même nous fournit la clef pour procéder de la sorte; de fait, il construit son traité à partir de la définition de l'architecture en tant qu'*encyclios disciplina*. La portée novatrice et originale du modèle cognitif vitruvien a fait entrer le mot *encyclios*, au cours de la Renaissance, dans la culture moderne, en véhiculant le concept moderne d'encyclopédie entendue comme dispositif d'invention et de recherche.
Le traité de Vitruve est à la fois un projet de systématisation des connaissances et une théorie d'ar-

chitecture. Le traité de Vitruve est une encyclopédie.
De l'ensemble de l'œuvre, nous ferons émerger, seule, le projet encyclopédique qui, pour Vitruve, définit sa théorie architecturale.
Il est difficile pour Vitruve, comme pour tous ceux qui traitent de la théorie dell'architecture, d'intégrer la non-homogénéité des savoirs et des méthodes impliqués dans le processus de construction; d'utiliser un langage hybride – tantôt normatif, tantôt narratif, tantôt technique – de gérer un corpus en perpetuelle évolution et une pratique de terrain, de donner forme à un savoir encyclopédique. H.-W. Kruft décrit le traité «comme une œuvre unitaire, bien qu'on ne puisse oublier son caractère compilateur et ses imprécisions terminologiques».[2]
Comment juger valable une théorie qui donne la possibilité au sujet (à l'architecte) et à son *iudicium* (son esprit critique) de modifier à tout moment la *ratiocinatio*, le corpus

conceptuel même de son énoncé théorique?[3]

Intégrer cette multiplicité de points de vue, jongler avec des langages différents, est interprété par Kruft comme une perte de cohérence théorique du traité: «On ne peut donc parler qu'avec une certaine réserve de l'organicisme systématique de la théorie architecturale de Vitruve».[4]

Le point de vue de l'archéologue n'est guère différent.

Pierre Gros met lui aussi en évidence le dessin d'un «système» dans le *De Architectura* mais, comme Kruft, il témoigne de l'incapacité de Vitruve à s'y tenir tout au long du traité: «Vitruve, toujours à mi-chemin entre la simple compilation et la récolte de préceptes, n'arrive pas à établir un programme vraiment cohérent».[5]

Les deux auteurs, bien qu'à partir de points de vue différents, soulignent l'incapacité du «système» vitruvien à élaborer une théorie cohérente et organique.[6]

Pour le traité de Vitruve il ne s'agit pas de faire référence à un système total et fermé dans lequel chaque connaissance trouve sa place.

La pluralité des connaissances, le caractère «non-fini» du savoir, la non-homogénéité des connaissances et des méthodes et la subjectivité du *iudicium*, relèvent plutôt d'une «systématique» que d'un «système».

Au travers d'un travail historique et herméneutique, nous avons interprété les objets du *De Architectura* en tant que formes (catégorielles, syntaxiques et sémantiques) de la connaissance; nous avons décrit les modèles de leur transmission (disciplinaires, d'enseignement, encyclopédiques) de manière à formaliser un modèle de connaissance comparable à celui de *l'Encyclopédie*.

Attentifs à l'enseignement de D'Alembert, qui rappelle que: «Les systèmes servent plus à flatter l'imagination qu'à éclairer la raison»,[7] nous nous attacherons plutôt à définir le projet des savoirs et des savoir-faire du *De Architectura* sous forme de SYSTÉMATIQUE LOCALE.

Ceci nous permet d'établir le premier découpage thématique. Il s'agit de formaliser le modèle d'organisation des connaissances employé par Vitruve pour définir l'architecture en tant que:

1) FORME DE LA CONNAISSANCE; 2) FORME ORGANISEE DE LA CONNAISSANCE; 3) FORME TRANSMISSIBLE DE LA CONNAISSANCE.

1. UNE FORME DE LA CONNAISSANCE
Orale / Ecrite - Abstraite / Concrète - Subjective/Objective

Vitruve écrit son traité en même temps que sa carrière s'achève, comme extension et continuité de son activité professionnelle. Il n'a donc pas le recul nécessaire pour organiser et historiciser son œuvre mais il réalise, au fur et à mesure, la «traduction» de son savoir-faire.

Nous avons avancé l'idée que Vitruve élabore sa théorie en faisant référence à un modèle encyclopédique existant et qu'en l'adaptant à *l'architectura*, il le transforme et le rend spécifique. Vitruve se réfère certainement au modèle de connaissance aristotélicien; il cite Lucrèce, Cicéron et Varron mais il ne les emploie pas comme véritables modèles cognitifs; il les utilise plutôt comme environnement culturel et historique de son traité. Pour Vitruve, la dimension encyclopédique est ontologique à la discipline architecturale et la *encyclog paideía* (la culture de base) est le requis principal et indispensable de l'architecte.

L'objectif principal pour Vitruve est d'élever la *pràxis* architecturale au rang de *ars liberalis:* «Au rang d'une activité intellectuelle fondée à partir d'un *corpus* organique de connaissances – *doctrina* ou *scientia* – consciente de ses précédents historiques et de sa valeur».[8]

Il ne s'agit pas d'inventorier des pratiques de chantier mais d'universaliser, à travers l'élaboration d'une théorie, la connaissance architecturale. Vitruve se fait l'interprète, en même temps que Cicéron, de la nécessité de refonder et réorganiser

les savoirs. Il partage avec lui le sentiment de supériorité sociale de l'aristocrate romain par rapport aux détenteurs de savoirs spécialisés ou professionnels. Au centre de l'œuvre de Cicéron, il n'y a pas la *téchne* rhétorique mais la figure de l'orateur.[9]

Cicéron, dans le *De Officiis*, essaie de construire un univers de vertus adapté à la classe des professionnels. Au centre de ce système de *virtutes,* il place la *magnitudo animi* (reprise par Vitruve comme *animo magno*),[10] la plus grande des vertus, celle de l'agir pratique, sous l'égide du refus de l'avidité et de la richesse matérielle.[11] On assiste ainsi à la construction d'un «modèle du monde».

Vitruve reprend le projet du *De Officiis* de Cicéron et met au centre de son ouvrage «l'architecte» plutôt que «l'architecture».

Il lui assigne des facultés, et des *virtutes,* qui interagissent et modifient le statut de la discipline même et qui ordonnent ses savoirs.

Il lui confie l'usage du «jugement critique» qui permet d'orienter tous les savoirs nécessaires à l'architecte.[12]

Le *iudicium* est le propre de l'activité de l'architecte et non pas de la discipline architecturale. Ce jugement critique travaille donc en même temps soit à la traduction des savoirs, soit à la redéfinition de leurs règles.

A l'image de l'*Encyclopédie* de Diderot, qui, au-delà de la simple diffusion du savoir, s'assigne la tâche de fonder «une nouvelle façon de penser».

«Le savoir de l'architecte» et «l'architecture» sont deux formes distinctes et très particulières de la pensée. Vitruve essaye de définir, avec son traité, quelles «formes spéciales» de connaissance assument «l'architecture» et «son savoir».

1.1 *Une connaissance orale ou ecrite*

Les connaissances employées par Vitruve sont de nature multiple: scientifique, technique et poïétique. Ils proviennent de l'univers des connaissances de l'humanité, de l'expérience de l'architecte, du conte, et de la tradition orale.

Vitruve, avec son traité, et donc son écriture, doit transformer une pratique de chantier, une tradition orale, en une connaissance écrite.

L'acte de l'écriture est par lui-même une opération de neutralisation du sujet: «un acte qui implique un principe de décontextualisation, d'anonymat et d'universalité».[13]

Pour Vitruve la doctrine architecturale peut être traduite en concepts clairs et simples (*praescriptiones terminatas*,[14] *ordinata praeceptis*)[15] sans renoncer à l'usage de termes spécifiques, *vocabula ex artis propria*,[16] pour être intégralement mise à disposition, car il nous rappelle qu'il ne ressemblera pas aux *invidiose silentes*,[17] à tous ceux qui gardent un jaloux silence sur leurs connaissances.

La transmission orale du savoir-faire architectural a gardé longtemps son fief; la mémoire a gardé son primat sur le jugement et le sujet sur l'objet. C'est à travers l'exercice du *iudicium* que l'on passe progressivement de la «subjectivité individuelle» à «l'objectivité de la connaissance».

Une aporie se dessine: nous sommes en présence d'une écriture spécialisée avec un caractère prescriptif et normatif (dans la tradition des codes républicains tardifs et dans le style des auteurs latins de traités comme Varron), mais aussi, par moments, d'une écriture captivante et séduisante avec l'usage du récit historique et de la poésie.

«Se focaliser sur l'écart entre les genres littéraires les plus insignes et la tractation technico-scientifique, c'est pour Vitruve le point de départ nécessaire pour conférer, avec son traité, une dignité littéraire à l'architecture.»[18]

Les deux écritures, bien que différentes, ont en commun le désir d'autorité, et d'universalité: une écriture pour «l'architecture» en tant que doctrine, lieu abstrait de la norme et de la tradition du savoir-faire architectural, et une écriture pour «l'architecte», comme un chant à ses vertus et à ses hauts faits.

On écrit sur «l'architecture» pour augmenter en puissance et en autorité le discours technico-scientifique et, pour réaliser cela, on se défait du sujet: «Car l'écriture a comme effet immédiat la disinhérence du sujet de son langage et du langage de ses propres référents.»[19]

On écrit sur «l'architecte» en utilisant un réseau de savoirs autonomes; un système de signaux comme autant de points de vues: la politique, la philosophie, la morale, l'histoire, la tradition, le conte.

1.2 *Une connaissance abstraite ou concrète*

Cette traduction de connaissances, orales et sociales, en *ars* ou *disciplina* comporte pour Vitruve un autre problème.

Selon F. Gil, les connaissances orales transmises par la tradition sociale sont contextualisées et formées d'ensembles de savoirs-faire (*skills*) toujours spécifiques. Cette contextualisation signifie surtout, qu'en elles, les «idées» sont connectées à des situations et non pas à d'autres idées.[20]

Or, la construction d'une discipline ou *ars* ou *scientia*, nécessite une filiation de concepts abstraits: d'idées.

L'architecture, *encyclios disciplina*, toujours en suspens entre «l'immanence de l'expérience» et «l'articulation de la pensée», entre la construction d'artefacts et la filiation d'idées, entre *fabrica* et *ratiocinatio*, entre *disciplina* et *ingenium*, est-elle une connaissance abstraite ou concrète?

L'abstraction constitue un moment fondamental dans la construction d'une connaissance, elle est donc préalable à sa catégorisation et classification, elle anticipe la fondation de *l'encyclios*.

C'est d'Alembert qui interprète l'abstraction comme forme de classification, comme la décomposition des corpus disciplinaires en unités plus simples. Ce n'est pas par hasard que d'Alembert formule sa théorie de l'abstraction dans les pages d'introduction de *l'Encyclopédie*, l'œuvre de reconstruction de

la connaissance la plus significative de la modernité.

Vitruve invente donc un nouveau langage dont les «technicismes» et les «abstraits» sont les principales caractéristiques.

Si les premiers sont utilisés pour définir la filiation entre les familles d'objets et les savoirs de l'architecture (géométrie, physique, mathématique, etc.) les seconds servent à dépasser le «sens commun» attribué aux mots en ouvrant le sens.

Elisa Romano souligne que: «cette utilisation massive d'abstraits, à tort considérée – selon qu'on voulait démontrer une théorie plutôt qu'une autre – symptomatique d'un style de faussaire ou d'un langage familier, est en réalité un des axes porteurs du nouveau langage et la marque d'un extrême raffinement. Lieu de convergence, selon la définition de Callebat, de l'analyse scientifique et de l'identification technique, les abstraits vitruviens peuvent être considérés comme les piliers de cette nouvelle construction qui s'oriente en même temps vers la dissertation théorique et vers la prescription pratique.»[21]

Selon Marouzeau,[22] ces formes expriment un changement de sens ou une «concrétisation» du concept. Nous pensons qu'il s'agit d'un processus d'abstraction qui opère une ouverture et une universalité du concept.

«A travers toute une série d'opérations et d'abstractions – dit d'Alembert – nous dépouillons la matière de toute propriété sensible. Il ne reste que le fantasme» [d'Alembert 1751]. Pour faire voyager le sens dans *l'encyclios disciplina*, pour associer les produits de l'architecture aux autres connaissances, il s'avère nécessaire de faire abstraction, de dégrossir les mots afin de retrouver leur fantasme. L'abstraction est, en tant que négation des particularismes, le processus qui génère les catégories.[23]

1.3 *Une connaissance subjective / objective*

Vitruve relie les objets du savoir de l'architecte à la fois à sa pratique professionnelle et à sa culture de base, à la fois à ses connaissances et à son talent.[24] Pour être plus précis, les objets de son savoir «existent» dans l'impossibilité de résoudre la dialectique subjectif/objectif qui sous-tend toutes les couples vitruviens. Cette dialectique subjectif/objectif constitue peut être la trace la plus complexe et la plus profonde du *De Architectura;* elle intervient, tout au long du traité, dans l'articulation de plusieurs formes cognitives: architecture/savoir de l'architecte; connaissances/*habitus; ars/*connaissance.

Architecture ou bien savoir de l'architecte? - La première de ces articulations s'active entre les deux formes cognitives: «architecture» et «savoir de l'architecte». Vitruve emploie les expressions *architecti est scientia...,*[25] - pour parler du savoir de l'architecte - et *architectura autem constat...*[26] - pour parler des composantes de l'architecture. Quelle est la nécessité d'opérer la différence entre «savoir de l'architecte» et «architecture» en vue de la construction de *l'encyclios?* La figure de l'architecte est centrale dans l'œuvre vitruvienne; il manifeste son «être» (et non seulement ses objets ou ses activités) tout au long du traité: un être moral et politique;[27] un être qui exprime son libre-arbitre;[28] un être savant qui doit avoir une culture encyclopédique;[29] un être qui juge et qui sélectionne les savoirs.[30] Pour toutes ces qualités morales de l'être, Vitruve ne propose pas une classification ou une catégorisation en prédicats élémentaires (comme pour les objets de l'architecture), ni un développement thématique. Il travaille à la catégorisation des formes de l'être à l'aide du dispositif des «couples philosophiques»: *fabrica/ratiocinatio; ingenium/disciplina; quod significatur/quod significat; cogitatio/inventio.*

Connaissances et habitus. - La dialectique instaurée par le couple subjectif/objectif sous-tend l'activité de l'architecte à émettre un jugement, *iudicium,* pour sélectionner les produits de *l'encyclios.* L'architecte doit connaître pour Vi-

truve tous les savoirs sans les connaître. Chaque savoir de *l'encyclios* se compose, selon Vitruve de deux éléments:[31] «*opere*» et «*ratiocinatione*» - une «activité pratique» et une «réflexion théorique» connectée à elle.[32] Ce que les savants peuvent partager c'est la «réflexion théorique» de leur connaissance et non pas le «savoir pratique» qui est à la base de leur savoir-faire spécifique. Pour opérer ce partage, il faut posséder *l'encyclios disciplina* de la tendre enfance, *aetate puerili;*[33] un simple apprentissage d'adulte ne suffit pas. Vitruve parle donc de *l'encyclios* comme d'un corps dont les disciplines constituent les membres – *his membris est composita,*[34] construit à partir des connexions[35] entre toutes les disciplines, qu'il faut apprendre *a teneris aetatibus.*[36] C'est presque la description d'un processus spontané et ontologique du savoir encyclopédique. Vitruve pose ainsi la question du cycle d'études en architecture.

Ars / Connaissance. - Vives, dans son traité *Opera,*[37] sur la transmission de la connaissance, opère une distinction entre *cognitio* comme «forme passive» de connaissance de nature sensorielle ou intellectuelle, et *l'ars,* c'est-à-dire une connaissance qui se représente en même temps comme la règle dont dérivent certains résultats. Vives dit: «Les connaissances ne sont pas toutes *ars,* seulement celles qui sont règles de production de quelque résultat».[38] Une *ars* est à la fois la règle et le produit. Elle doit donc montrer ses règles, se transmettre à travers une théorie. «Le savoir de l'architecte» et «l'architecture» sont-ils *ars* ou connaissance? Nous nous trouvons en présence de deux formes: l'une liée à l'expérience du sujet, *cognitio,* à peine transmissible et dont la réalité est percevable seulement à travers le conflit de réalités opposées; l'autre, *l'ars,* qui adhère à ses objets, qui est transmise en même temps que la règle qui la sous-tend. En réalité ces deux formes sont indissociables.[39]

2. UNE FORME ORGANISÉE DE LA CONNAISSANCE
Couples philosophiques - Catégories/Catégorisations - Systématique et Classification

Nous sommes au cœur du dispositif mis en place pour traduire l'organisation des connaissances du traité de Vitruve.
Si la catégorisation du «savoir de l'architecte» (*Architecti est scientia*), se réalise grâce un réseau de binômes d'oppositions ou couples philosophiques; son «activité», *l'Ars* architecture (*Architectura autem constat*), se formalise dans un travail de catégorisation/catégories propre aux sciences. Les produits de «l'architecture», (*Partes ipsius architecturae sunt*)[40] quant à eux, font l'objet, pour Vitruve, d'une systématique et d'une classification.
Ce travail d'organisation de la connaissance, ici constitué, représente le moment clef dans la construction de *l'encyclios* vitruvienne.

2.1 *Couples philosophiques*
Fabrica / ratiocinatio; ingenium / disciplina; quod significatur / quod significat; cogitatio / inventio.

Pour définir la réalité à peine visible du «savoir de l'architecte», Vitruve utilise un réseau de «couples d'oppositions». On ne peut apercevoir cette réalité qu'en dominant avec la pensée, ses articulations opposées. «Dans une opposition conceptuelle, – dit F. Gil – les termes complémentaires sont saisis en tant que formateurs d'une indiscutable unité dont le fondement est difficile à capturer. De là dérive l'usage analogique et métaphorique de l'opposition conceptuelle qui dénote avant toute chose l'admission d'une impuissance explicative».[41] Nous affirmons que ces binômes d'oppositions créés par Vitruve fonctionnent comme des «couples philosophiques», premier niveau de catégorisation de la connaissance. Une réalité qui ne peut se transmettre que par des concepts opposés (différentiation) et par l'impossibilité (négation) de résoudre la polarité engendrée par les termes des couples utilisés. Une réalité que nous avons placée sous le signe de la complémentarité de «l'être» et du «connaître».

La méthode interprétative des couples philosophiques

Si la réalité du «savoir de l'architecte» ne peut être transmise qu'à travers un système de couples, nous ne pouvons pas opérer autrement que de restituer le sens en opérant la «filiation» des couples vitruviens dans d'autres couples complémentaires: *cognitio/ars; connaître/produire; agir / désirer; agir / produire; désirer/délibérer; moyens/finalité*. Ces derniers génèrent d'autres couples capables de faire arriver jusqu'à nous le sens originaire des premiers termes opposés. Ces termes peuvent être placés selon deux axes privilégiés: l'axe du continu – «figures de la dualité» et de la «contrariété»; l'axe du discontinu – figures de la «complémentarité» et de la «contradiction».[42]

Cette pensée trouve ses origines en Protagoras qui affirmait reconnaître dans chaque thème deux argumentations opposées l'une à l'autre.

F. Gil interprète ainsi les couples philosophiques: «En d'autres termes, – dit-il, – les oppositions sont un aspect de la pensée catégorielle. Bien que pour Aristote elles ne soient techniquement pas des catégories, comme celles-ci, elles se situent à la convergence entre être et pensée».[43]

Une telle pensée est très proche de celle de Vitruve; elle en constitue, en quelque sorte, l'origine savante et généralisée.

Différentiation et contradiction. Figures non-antagonistes

Pour pouvoir transmettre une connaissance, il est nécessaire d'opérer une «différentiation».[44] *Fabrica* et *ratiocinatio* sont présentés en première instance comme deux composants différents du même savoir, celui de l'architecte. Posséder une seule de ces deux composants mène l'architecte droit à l'échec.

Nous émettons l'hypothèse que les couples utilisés par Vitruve sont tous «non-antagonistes».

En fait, aucune des traductions du traité de Vitruve, bien que très différentes les unes des autres, ne propose le binôme *fabrica / ratiocinatio* (les autres binômes, bien que distincts, ne font que renforcer le sens de celui-ci) comme composé des figures antagonistes.

Barbaro[45] traduit le binôme avec les termes *fabrica* et discours: le premier est interprété comme «une pensée d'usage» (une réflexion liée à la création de l'artefact) et le second comme «une pensée critique» (un discours qui puisse démontrer et valider la pensée qui préside à la «production»). «Le discours comme père et *fabrica* comme mère de l'architecture».

Barbaro, pour expliquer le binôme, transfère le sens sur d'autres couples dialectiques, le couple «mère et père» déjà cité, mais aussi: «idée et forme» ou «fin et moyen».

Pour Galiani, un architecte se doit de posséder une «pratique» et une «théorie»; mots qu'il utilise pour traduire *fabrica* et *ratiocinatio*. Les deux prédicats bien que différents sont connectés.

Pour Ferri, le binôme *fabrica* et *ratiocinatio - pratique* et *théorie, ars* et *scientia: téchnē et épistémē -* est un binôme hellénistique. Pour Vitruve, la *ratiocinatio* est simplement un "commentaire" ou "exposition" de la *fabrica*.[46] L'idée de commentaire laisse imaginer que la *ratiocinatio* est une réflexion conduite *à posteriori*, sur les ouvrages déjà réalisés.[47]

Ces formes non-antagonistes d'opposition conceptuelle peuvent être symétriques, duales ou complémentaires. Les termes des couples vitruviens expriment une parfaite équivalence, en quantité et qualité, ils ont une égale valeur. A ce titre ils peuvent être considérés comme étant symétriques.

Figure non-antagoniste: dualité et complémentarité

Toutes les interprétations du couple *fabrica/ratiocinatio,* qui subordonnent la pratique à la théorie, et qui voient dans la théorie le moment le plus haut de la réflexion architecturale pourraient nous faire traduire le couple selon les figures de la dualité. En réalité comme nous l'avons constaté, les termes du binôme sont parfaitement symétriques et équivalents: Vitruve leur attribue exactement la même valeur.

Toutes ces interprétations sont donc à exclure.

Platon, dans le *Phédon,* met en évidence la différence entre couples complémentaires et couples duels. Si pour la dualité, il est possible d'appliquer le principe qui voit chacun des termes se générer dans l'autre dans un mouvement continu, «en ligne droite», tel n'est pas le cas pour les couples complémentaires. Platon affirme que le mouvement en «ligne droite» d'un terme à l'autre ne suffit pas.[48]

Les duolités n'ont pas besoin de ce parcours circulaire, qui s'avère cependent nécessaire pour les complémentarités.

Si nous interprétons *fabrica / ratiocinatio* comme une «réflexion» menée en vue d'une «production», alors pour les deux termes du binôme le «se générer» se manifesterait seulement par une ligne droite. L'idée d'un «raisonnement» qui dirige une «production», constitue, pour Aristote, le propre de *l'Ars.*[49] Mais si «l'architecture» est *Ars*, «le savoir de l'architecte» ne l'est pas! Les deux substrats impliqués par les binômes en question, relèvent de deux connaissances différentes, celle du «savoir de l'architecte» et celle de son «activité», et elles concernent la même famille d'objets.

Quel est donc le substrat du binôme *fabrica/ratiocinatio?* Est-il unique et homogène ou bien ne l'est-il pas?

Les substrats des termes des couples vitruviens font référence à des domaines cognitifs et sensoriels hétérogènes.[50]

L'impossibilité de résoudre le conflit entre ces termes est exaspérée par l'hétérogénéité de leurs domaines d'origines. A travers chaque couple, Vitruve dicte, afin d'«être» architecte, la nécessité de traverser, connaître, les substrats différents mis en jeu par la complémentarité des deux termes.[51]

Cette hétérogénéité des substrats vérifie la «complémentarité» des couples vitruviens.

«Savoir de l'architecte» et «architecture» possèdent deux substrats différents: les connaissances en jeu relèvent du sujet, «l'être architecte», et de *l'Ars* en tant que *«disciplina architectura»*.

Ces connaissances ne sont pas tout à fait semblables: il y a une «connaissance de nature sensorielle ou intellectuelle», *cognitio,* et «une connaissance qui se représente en même temps que la règle dont dérivent certains résultats», *Ars.*

La transmission de *l'ars* relève d'une «pensée théorique».

Il ne s'agit pas, pour Vitruve, de montrer seulement la réalité de «l'activité» de l'architecte, de son *Ars*, mais aussi de son «action» qui est expression de son «être». Vitruve fait état de «l'agir» et du «produire», de «vertu» et de «sagesse».

La pensée qui orchestre cet accord, en tant que pensée finalisée au produire, est une «pensée pratique».

2.2 *Catégories / Catégorisations Ordinatio– Dispositio– Eurythmia - Symmetria - Distributio - Decor - Ratio firmitatis - Ratio utilitatis - Ratio venustatis - Natura loci– Usus – Species - Opportunitas.*

La définition de «l'architecture» en tant que *Disciplina, Ars, Scientia, Corpus,* *«Architectura autem constat»,* se fait à travers trois classes d'objets différentes: trois listes de «prédicats» de l'architecture.

La première se compose de six prédicats: - *ordinatio, dispositio, eurythmia, symmetria, decor, distributio;* les deux autres listes sont énoncées dans le troisième chapitre et comportent respectivement, *trois plus trois* prédicats: - *aedificatio, gnomonice, machinatio* et juste-après, - *ratio firmitatis, ratio utilitatis, ratio venustatis.*

Le verbe *constare* définit seulement une relation d'appartenance stricte de ces objets avec l'architecture.

Pour la première liste, comme nous l'avons déjà souligné, Vitruve ne définit pas avec un «mot» la «relation» entre ces «objets» – *ordinatio, dispositio, eurythmia, symmetria, decor, distributio* - et la discipline architecture.[52]

Il existe aussi une quatrième liste d'objets qui exprime une classification ultérieure: les *«species»* de la représentation de la «disposition»: *Ichnographia, orthographia* et *scénographia.*

Il ne s'agit pas de simples outils du dessin car Vitruve les place sous l'influence de la *cogitatio* et de *l'inventio.*

Dans une systématisation d'une connaissance faite par «classification» et «catégorisation», l'attribution d'une valeur hiérarchique aux prédicats, attributs de cette connaissance, reste très empirique.

Mais dans quelle forme la pensée catégorielle intervient-elle dans le *De Architectura?*

Vitruve transforme une expérience en *Ars* et il relie cette expérience à la construction d'une nouvelle connaissance à travers la fondation d'un *logos.* Le processus de catégorisation qu'il met en œuvre dans son traité contribue certainement à la construction de cette connaissance. Les catégories se constituent à l'intérieur de catégorisations, c'est-à-dire dans des domaines structurés de l'expérience ou de la connaissance. Elles ne sont valables et leur usage n'est justifié, qu'au sein du domaine dans lequel elles opèrent.

La traduction des catégories vitruviennes se justifierait seulement à l'intérieur de l'univers historique et culturel du traité. Mais, malgré ce caractère «local» des catégories et malgré leur adhérence à l'expérience et donc au «particulier», les catégories constituent des «concepts universaux». «L'originalité de la pensée catégorielle – dit F. Gil - consiste justement en cette ambiguïté: les catégories sont des notions stratégiques qui instituent des médiations entre la pensée et le langage, la connaissance et ses objets, le syntactique et le sémantique. La pensée catégorielle la plus profonde s'oppose à la distinction rigide entre "être" et "connaître", elle se situe et circule entre eux».[53]

Par conséquent l'analyse historique et herméneutique que nous faisons du traité nous fournira, pour ses catégories, une double valeur: particulière / universelle.

Cette double valeur de recherche dans l'organisation de la connaissance et de représentation du «modèle du monde» est bien argumentée par F. Gil: «La théorie des catégories – dit-il – est bien plus qu'une théorie de la construction du monde: elle est une propédeutique critique de la connaissance et un guide pour la recherche. Aristote n'a pas l'intention de faire un inventaire de tous les modes de l'être (c'est seulement ainsi que nous pouvons expliquer les omissions fréquentes, et pas toujours les mêmes, dans ses catégories) mais plutôt d'établir des principes fondamentaux opérer la distinction entre les objets logiquement et ontologiquement fondamentaux (individus appartenant à la substance) et non fondamentaux (les substances secondes et les autres catégories, fonder l'idée même d'une catégorisation; souligner la subordination implicite de la question de la vérité à celle du sens».[54]

La critique que fait Gil à l'incomplétude de la catégorisation d'Aristote et le prétendu caractère asystématique de la théorisation de Vitruve, se superposent. A la différence près que l'œuvre de Vitruve a été «niée» en tant que dispositif d'organisation des connaissances. Son caractère particulier, a toujours primé sur sa vocation universelle.

Vitruve comme Aristote, essaye d'établir «des principes fondamentaux» et tente d'opérer la distinction entre «les objets logiquement et ontologiquement fondamentaux» de l'architecture.

Comme Aristote, Vitruve fonde l'idée même d'une catégorisation de l'architecture et de son savoir.

Vérifions les points qui définissent une «catégorisation rigoureuse».

Définition des objets considérés

Avoir différencié «le savoir de l'architecte» de «l'architecture» constitue en soi une hiérarchisation de type: les substances premières et les autres catégories. Avec la différentiation *encyclios/ars,* nous pouvons analyser «le savoir de l'architecte» en tant que «substance primaire», comme «l'être un architecte»;[55] et interpréter *Ars* et «architecture» en tant que «substances secondes»:[56] «un certain savoir d'un architecte» existe dans «l'espèce» architecture et le «genre» de cette espèce est *l'Ars*.

Principes constitutifs des objets

Le substrat de cette prédication est l'architecture, *architectura constat*; nous l'avons assimilée à une «substance seconde» et placée au niveau de «l'espèce».[57] Ceci signifie que la prédication concernera ce qui différencie «l'espèce» du «genre», comme l'homme de l'animal et l'architecture des autres *Ars*.

Différenciation des objets d'une même classe

Aux objets de la 1ère série – *ordonnance, disposition, eurythmie, symétrie, distribution, convenance* – nous avons attribué la valeur de «prédicats fondamentaux» de l'architecture les objets de la 2ème série – *aedificatio, gnomonice, machinatio* – seront analysés en tant que «Classes», «*partes*», de l'architecture. Plus complexe, car chargée du poids de l'histoire, est l'analyse de la troisième liste, celle qui fait référence à la *firmitas*, à l'*utilitas* et à la *venustas*.

Si nous analysons les trois prédicats comme appartenant au même niveau hiérarchique que les six catégories précédentes, alors on ne peut qu'accepter la critique de P. Gros,[58] pour qui seul le concept de *firmitas* représente l'expression d'un nouveau prédicat (en plus des autres six) dans la tractation vitruvienne; *utilitas* et *venustas* coïncident en partie, ou englobent, les précédentes catégories.

Nous privilégions l'hypothèse qui considère les trois termes comme des «prédicats». Comme «attributs catégoriques» de la *partes*, définie par Vitruve comme «édifices publics», sous-parties de l'espèce «architecture». La catégorie de la «beauté» chez Vitruve, s'appliquerait donc différemment selon qu'il s'agisse de bâtiments publics (temples) ou d'édifices privés (maisons).

Vitruve réserve donc la *venustas* aux seules œuvres de l'Empire.

Pour les bâtiments privés, Vitruve invente une «prédication en dérogation», tel que: 1) la «*natura loci*»,

et donc la nécessité de s'adapter aux caractéristiques du lieu de construction; 2) *l'usus*, c'est-à-dire une conformation des espaces précise et adaptée aux usages; 3) la *species*, enfin, comme apparence extérieure dans sa visibilité.

On peut inclure ces trois termes dans la liste des prédicats de l'architecture bien qu'ils reprennent le sens de certains des prédicats fondamentaux.

Dans un souci d'exhaustivité, bien que l'interprétation *in extenso* du traité de Vitruve, n'est pas prioritaire pour nous, il faudra signaler une autre catégorie semblable à celles que nous venons d'analyser: l'*opportunitas*.

Une logique sous jacente

En effet, chercher une logique sous-jacente, qui soit intuitive, pour résoudre les ambiguïtés engendrées par les catégories, équivaut à s'exprimer sur le sens en général que Vitruve sous-entend à son travail de catégorisation.

Vitruve se doit de répondre à deux attentes principales: a) démontrer que l'architecture est un savoir noble et une pratique culturelle, donc construire les liens entre l'architecture et les autres savoirs; b) construire un ouvrage qui soit apprécié aussi bien par les bâtisseurs et par les élus pour qui l'architecture reste un savoir-faire utile et non pas une pratique culturelle.

Vitruve montre l'existence d'un champ dont personne ne soupçonnait l'existence. L'idée sous-jacente est celle de lier le savoir de l'architecture aux autres savoirs et de faire en sorte que l'architecte puisse porter en soi la trace de tous ces savoirs; que l'architecture est une *encyclios disciplina*.

2.3 Systématique et classification Aedificatio – Gnomonice – Machinatio

La re-fondation de l'architecture en tant que *Ars*, ou pratique culturalisée, pour Vitruve, passe d'abord par un travail de systématisation, «*en ordonnant à la perfection le corpus disciplinaire*»,[59] et de classification,

«*en montrant [...] les particularités de chaque genre*»[60] des connaissances. La volonté d'organiser un corpus de connaissances avec une cohérence formelle ou en suivant le modèle de la *diaíresis* aristotélicienne avec une déclinaison précise des «substances» en «genre» et «espèces», est une ambition légitime mais une tâche difficile à accomplir.[61] Une classification doit se conformer à un certain nombre de principes pour organiser les objets contenus dans les classes.

Nous ferons référence à l'exposition systématique d'Apostel[62] pour analyser la nature des classifications utilisées par Vitruve.

Une classification pour Apostel, se construit sur une séquence de trois types de relations: d'ordre, d'équivalence et de ressemblance.

Ces relations, doivent respecter les conditions suivantes:

A) les divisions de cette classification ne doivent pas être vides; B) elles doivent être réciproquement exclusives et exhaustives dans le domaine en question; C) elles doivent être ordonnées par une relation de précédence qui fixe la hiérarchie des niveaux.

La classification utilisée dans le *De Architectura* répond certainement aux premiers deux types de conditions mais non pas au troisième.

En effet, Vitruve imagine chaque livre comme une branche d'un arbre; la matière traitée dans chaque section se réfère à un ensemble fini, exhaustif et reconnaissable de l'architecture. Tous les objets qu'il analyse sont regroupés en sous-classes qui appartiennent toutes aux «classes» de la *aedificatio*, de la *gnomonice* et de la *machinatio*. Les analogies et les différences qui déterminent les classifications se font sur la base de critères récurrents: forme, structure, fabrication, matière, usage, rythme, ordre, localisation, provenance, apparence.

Bien que l'ordre hiérarchique dont il est fait référence au 3ème point du schémas d'Apostel n'est pas respecté au sens stricte, Vitruve arrive à proposer un ordre cohérent substitutif mais pas extensif car il ne s'étend pas à l'ensemble du traité. En fait, dès la fin du premier livre,

Vitruve suit la trace du dessin de la ville: du choix du lieu, au plan – murs, rues, lotissement - dans le premier livre, en passant par la construction des temples (IIIᵉ et IVᵉ livre) et des bâtiments publics (Vᵉ livre), jusqu'à la construction des bâtiments privés dans le VIᵉ livre. Cependant il abandonne cette trace deux fois: pour traiter de thèmes communs à l'ensemble des classes de la *aedificatio*, notamment, celui des matériaux de construction (IIᵉ livre) et des finitions (VIIᵉ livre); et pour les classes de la *gnomonice* et de la *machinatio*, à qui sont réservés les VIIIᵉ, IXᵉ et Xᵉ livres du *De Architectura*.

Le schéma d'Apostel que nous avons proposé est formel et académique; dans la réalité on constate souvent la présence de cases vides, d'intersections entre les cases et de toutes sortes d'indéterminations.

Pour suppléer à cela, nous ne pouvons qu'accompagner les considérations extensives d'une classification d'une «approche de compréhension»: «Selon les désignations traditionnelles, cette compréhension se fonde sur "l'essence" qui définie les classes et sur la "différence" spécifique qui distingue les classes; l'ensemble de ces deux concepts reste la base des mécanismes classificatoires».[63]

Dans la classification du *De Architectura* «approche de compréhension», constitue certainement l'avancée théorique la plus intéressante. A travers cette approche, différente pour chaque livre, Vitruve compense les éventuelles incohérences de ses classifications en devançant chaque argumentation d'une idée qu'on pourrait définir dans un langage contemporain, comme «transversale» à la matière traitée.

Plusieurs «approches de compréhension» coexistent dans l'œuvre vitruvienne: *encyclios* et *stoicheîa* pour classer les savoirs de l'architecture et les éléments du plan urbain (Iᵉ livre); la «théorie atomique» pour classer les matériaux de construction (IIᵉ livre); *symmetria/analoghía* pour ordonner les temples (IIIᵉ et IVᵉ livre); *opportunitas* pour classer tous les édifices

publics (Vᵉ livre); *symmetria/natura loci* pour les bâtiments privés (VIᵉ livre); *venustas/firmitas,* pour classer toutes les «finitions» à usage des bâtiments (VIIᵉ livre).

3. UNE FORME TRANSMISSIBLE DE LA CONNAISSANCE
L'encyclopédie Vitruvienne

Ce qui à l'origine était une *summa* de savoirs et de recettes de «*bottega*», devient avec Vitruve une matière *ordinata*.

Vitruve travaille à la transmission de ce savoir en essayant de fonder une langue technico–scientifico-poïetique à mi-chemin entre «autorité», «objectivité» et «imagination», pour exprimer avec simplicité des choses qui ne sont pas simples; une langue à part entière car on n'écrit pas l'architecture comme on écrit l'histoire ou des poèmes.[64]

Mais quelle chose et à quelle fin transmet-il; qui doit recevoir cette transmission et de quelle façon transmet-il?[65]

Vitruve procède plutôt par approximations successives, selon une approche empirique qui ressemble de près à cette synthèse de Richardson: «Nous découvrons tout d'abord les éléments simples dans les choses à travers "l'intelligence"; grâce à la "science", nous regroupons ces éléments simples en axiomes; nous les ordonnons en obéissant à la "prudence"; il en va ainsi pour chaque corps d'axiomes orienté vers une finalité qui lui est propre (εὐπραξία).[66] Tout ceci est ce qu'on définit comme "art"; quand nous l'enseignerons à quelqu'un d'autre, ce sera une "doctrine" et son apprentissage sera une "discipline". Enfin, quand elle sera traduite en écriture ou imprimée, elle deviendra *liber* (livre)».[67]

A côté de l'organisation de la «discipline» se pose le problème de son «enseignement»; en travaillant ainsi à la transmission de son savoir, Vitruve fonde son «enseignement».

L'organisation et la transmission du savoir à travers la représentation d'un «modèle du monde» constitue l'esprit du projet de «l'encyclopédie». Ce modèle d'organisation de connaissances est représentatif du

De Architectura, et fondateur d'une nouvelle réflexion sur la théorie architecturale.

3.1 DISCIPLINE / DISCIPLINES
Scientia – Ars – Disciplina

Nous interprétons, inévitablement, le *De Architectura* sous l'influence d'*a-priori* nés du regard de notre époque.

L'organisation disciplinaire, avant d'être une thématique en soi, est devenue, pour tous ceux qui ont suivi un cycle d'études quelconque, une sorte de *disciplina mentis*, difficile à détecter et à rationaliser car sous-jacente à tout notre savoir.

En effet, la *disciplina mentis* de l'âge moderne, comme le synthétise F. Gil suit deux mouvements opposés: «L'un qui, à travers la "mathématisation", va vers l'unité des langages de la science, et l'autre qui s'oriente plutôt vers une reproduction élargie des connaissances avec une croissance accélérée du nombre et des thématiques des disciplines principales, subordonnées et mixtes».[68]

A plusieurs reprises, le mot discipline est employé dans le *De Architectura* (environ dix-huit fois) avec, pour synthétiser, une double signification: en tant qu'ensemble de tous les éléments d'un savoir ou de plusieurs savoirs; comme instruction à un savoir ou à plusieurs savoirs.

La *disciplina* peut donc prendre la signification de *corpus* de règles et de savoirs (Vitruve utilise indistinctement les mots: *ars, scientia, doctrina, disciplina*) et être interprétée comme le plus grand ensemble contenant tout ce qui a à faire par exemple avec le savoir architectural.[69]

Disciplina peut aussi indiquer le plus grand ensemble contenant tout ce qui a à faire avec un autre savoir qui ne soit pas l'architecture (mathématique, médecine, astronomie, etc.).[70]

Le mot *disciplina* est aussi utilisé pour définir un ensemble plus grand encore et qui contient toutes les disciplines: l'*encyclios disciplina*.[71]

Différemment, le mot *disciplina* est

Architecture fantastique, fresque de la villa de Publio Fanno Sinistore a Boscoreale, I s. av. JC.

employé pour indiquer l'éducation aux corpus de règles, l'instruction à une science ou à un art.

Education ou instruction qui concernent la partie «transmissible»[72] d'une connaissance. Cet apprentissage peut concerner l'architecture,[73] mais il peut aussi concerner l'encyclios disciplina, dans son ensemble.[74]

Cette double signification, plus ou moins nuancée, traverse les siècles jusqu'à nous jours. Dans l'Encyclopédie du XVIIIᵉ siècle, si l'article «Disciplines» développe le terme dans sa valeur de réglementation, de contrainte, mais aussi de rigueur, de punition, de châtiment; en revenche dans l'article «Art», écrit par Diderot, la discipline est interprétée comme l'aboutissement ou plutôt la concrétisation d'un chemin cognitif: «On commence en faisant des observations directes de la nature: les usages, les emplois, les qualités des êtres et de leurs symboles. Ensuite, le lien ou centre de convergence de toutes ces observations faites fut dénommée "science", ou "art", ou encore "discipline" en général, afin de les réduire à un système de règles ou d'instruments coordonnés en vue d'une même finalité. Telle est la description d'une "discipline" en général.»[75]

Comme pour Vitruve donc, le mot discipline se trouve autant associé à l'apprentissage du savoir qu'à son organisation.

Comme pour Vitruve, quand il s'agit de définir la discipline en tant que corpus, on l'associe indistinctement à l'art et à la science.

Mais, bien qu'il associe l'art à la science et à la discipline, Diderot ne les confond pas: «Les liens autour desquels notre réflexion s'organise fut définie comme "science" ou bien "art" en fonction de la nature "formelle" de leurs objets (comme diraient les "logiques"). La science est: "l'ensemble et la disposition technique des observations" de l'objet contemplé et l'art serait: "l'ensemble et la disposition technique des règles de construction" d'un objet».[76]

C'est un thème d'inspiration aristotélicienne centré sur la division entre disciplines dont l'objet est universel et invariable et disciplines dont l'objet est variable [Aristote, Etique à Nicomaque, 1139b, 15-1141a, 8].

Dans l'Ethique à Nicomaque, Aristote affirme que seule la science, au sens strict, peut être enseignée. «Cette dépendance réciproque entre science et enseignement est à la racine de l'ambiguïté que le concept de discipline exprimera ensuite: une branche du savoir mais d'un savoir conditionné par une volonté de normalisation».[77]

Dans le plan de l'œuvre, Vitruve ne donnera pas une place autonome à toutes les disciplines mais, dans l'argumentation de chaque objet d'architecture, il fera appel à toutes ces disciplines en utilisant tous les objets, les méthodes ou les théories qui s'enchaînent avec l'objet en question. Par exemple, pour parler de l'emploi du bois dans la construction, Vitruve fera appel en même temps: à l'anthropologie culturelle (la naissance de la construction), à la théorie atomique (et la théorie des quatre éléments) et enfin aux récits de guerres de César (pour attester historiquement certaines qualités du matériel.)

La différentiation entre ars, scientia et disciplina serait possible si les processus et les objets attribués à chacun de ces ensembles étaient homogènes. Mais comment, alors, serait-il possible pour Vitruve de définir l'architecture en tant que discipline à partir d'objets tels que: «la naissance de la construction», «la théorie atomique», «les récits des guerres de César» et naturellement «le bois de construction»?

La critique faite à l'organisation des connaissances employée dans l'œuvre vitruvienne porte essentiellement sur deux choses: l'utilisation d'une systématique de base pour l'organisation du savoir qui s'avère lacunaire et incomplète et, de fait, un manque d'homogénéité des méthodes et des objets de l'architecture.

En effet, la question de l'homogénéité est une question récente.[78] Ni chez Aristote et ni dans la tradition aristotélicienne, il n'y a quoique ce qui permet d'anticiper cette idée d'homogénéité.

Aristote est le premier à affirmer le principe de la multiplicité des disciplines;[79] il l'affirme en dépit du projet d'une science unique et universelle.

Aristote développe, dans la Métaphysique également [1012b, 34-1013a, 23, et surtout 1025b, 1-1026a, 33], la thèse de la multiplicité des disciplines. Il opère une distinction entre trois types de sciences: les sciences, poïétiques et théorétiques. Les distinctions s'effectuent en fonction des « objets » ou « genres déterminés » de chaque science.

Aristote relie la science à l'enseignement: «Chaque doctrine (διδασκαλία)[80] et chaque apprentissage (μάθησις),[81] qui sont fondés sur la pensée discursive (certainement pour faire la distinction avec l'apprentissage pratique des arts), se développent à partir d'une connaissance précédente. [Aristote, Seconds Analytiques, 71a, 1; Ethique à Nicomaque, 1139b, 25-31].[82]

Non seulement Vitruve fait, dans son ouvrage constamment référence à la question «d'un apprentissage précédent au des praecognita mais encore il le pose comme condition nécessaire à l'apprentissage de l'encyclios et par suite de l'architecture.

Chez Vitruve, cet «apprentissage précédant» à l'apprentissage de l'architecture se présente sous deux formes: celle d'un enseignement précoce (un curriculum d'études nourri de la «tendre enfance»);[83] mais aussi celle de la construction d'une forma mentis[84] particulière, à la fois issue d'une culture encyclopédique et seule capable de la reproduire.

La notion de discipline se présente dans le contexte de la «transmission», la science se révèle indissolublement liée à son propre «enseignement». Pour Aristote, la transmissibilité de la discipline constitue son enseignement; elle est interprétée comme une sorte d'épreuve à laquelle une discipline doit se soumettre pour être validée en tant que telle.[85]

La question de l'apprentissage devient pour Vitruve, comme pour Aristote, une question décisive, il s'agit, en première instance, «d'apprendre à penser», de discipliner l'esprit. (Nous avons trouvé formalisée cette expression aussi chez Vitruve) et, en second lieu, déterminer la séparation entre sujet et objet.[86] Ceci constitue pour F. Gil le sens ultime de la théorie des vertus intellectuelles, qui devient de la sorte une théorie de l'apprentissage. Comme chez Aristote, chez Vitruve, les *habitus* ne précédent pas le savoir mais se forment «à l'intérieur» et «à travers» l'acquisition du savoir: c'est en jouant de la lyre que l'on fait les bons ou les mouvais joueurs de lyre [Aristote, *Etique à Nicomaque*, 1103,a 11-1103b, 25].

La vertu intellectuelle désigne un comportement adaptatif. Sur cette base, Aristote procède à l'explication dans *l'Ethique à Nicomaque* ('επιστήμη):[87] du moment qu'elle porte sur l'éternel et le nécessaire, est exprimée par le biais de l'enseignement; les arts (τέχναι)[88] et la sagesse dans l'agir (φρόνησις, *prudentia*)[89] sont exprimés par le biais de la pratique et ils appartiennent plutôt à la sphère du raisonnable qu'à celle de la rationalité. Les matières qui concernent les actions manquent de précision; c'est aux sujets, en fin de compte, de décider dans chaque cas de ce qui est le plus convenable [Aristote, *Etique à Nicomaque,* 1103a, 15-1104b, 38; 1138b, 20-1140b, 30].

Il existe des degrés différents de «rationalité» dans les vertus. Une telle chose est plutôt naturelle; on ne peut, en effet, prétendre d'un orateur la même rigueur que celle attendue du mathématicien [Aristote, *Etique à Nicomaque,* 1094b, 25].[90]

ART OU SCIENCE

A partir du XVIe siècle, *l'habitus* se transforme en simple habitude, et se développe l'idée de l'existence d'une capacité cognitive innée.[91] Apres l'effacement de l'*habitus*, on verra disparaître l'expérience et apparaître une objectivation de la connaissance grâce à la méthode scientifique.[92]

Il s'est produit ce qu'ailleurs nous avons déjà défini comme «une mathématisation de la connaissance». La signification originelle du terme Μάθημα[93] est «ce qui peut être enseigné». Cette affirmation dans l'antiquité marche aussi en sens inverse: ce qui peut être enseigné est Μάθημα. Snell a illustré le passage sémantique, entre Μάθημα, en tant qu'objet d'apprentissage, et mathématique en tant que discipline particulière: «Μάθημα appartient à la même famille à laquelle appartient μανθάνω,[94] "s'approprier par soi-même par la pensée, quelque chose qui provoque un effet particulier" et μάθησις,[95] "l'apprendre". [...] La parole μάθημα atteste donc une connaissance qui fait abstraction des particularismes de la personne et de l'empirisme, et qui cherche des objets qui peuvent être connus avec une certitude absolue. Mais ces objets doivent être "appris"; leur connaissance doit être univoque et transmissible. Et seule la mathématique satisfait cette double exigence».[96]

Il ne sera donc plus question d'utiliser indistinctement *ars*, *scientia* ou *disciplina;* le concept de science n'aurait plus une valeur relative comme chez Aristote, qui la définit par rapport à quelque chose [Aristote, *Topiques,* 145a, 15-18], mais absolue et exclusive: science ou non-science.

A partir du Moyen-âge, en effet, seules les sciences basées sur les mathématiques seront dénommées «disciplines» (toutes les matières du *quadrivium*: arithmétique, géométrie, musique, astronomie) et «arts» celles du *trivium*: grammaire, rhétorique, dialectique.

Une des raisons de l'énorme chance de la théorie vitruvienne réside peut-être, justement, dans sa «mathématisation»; la possibilité de se référer à une mesure constitue la force de la transmission du traité. Vitruve, en faisant référence au modèle numérique de Pythagore, partage avec celui-ci tout l'enthousiasme et la foi qu'il place dans les sciences. Comme le fait remarquer Karl Popper: «L'emphase que Pythagore a montrée à l'égard du chiffre a été très bénéfique du point de vue du développement des idées scientifiques. Un tel fait est souvent relevé, bien que de façon approximative, en affirmant qu'on doit aux pythagoriciens le début de la mesure numérique à caractère scientifique».[97]

À la question de la *symmetria*, ou «commensurabilité» chez Vitruve, est associée, à partir du IIIe Livre, le développement sur les systèmes de mesure qui sont aussi bien déduits du corps humain qu'extrapolés à partir de spéculations numériques. Un tel univers cognitif, physique-philosophique-mathématique, est transformé, à travers des systèmes numériques et des correspondances proportionnelles, dans un cadre de relations optimales et paradigmatiques à usage de l'architecture (plus particulierement pour la construction des temples). Ce système de relations trouve ses origines dans ἀναλογία,[98] *l'analogía* grecque, et dans la *symmetria* romaine correspondante.

Le système de relations mis en jeu par la *symmetria/analogía* est extrêmement rigoureux et référencé. Il constitue l'univers sacré et symbolique de l'architecture, qui, de ce fait, devient universelle.

La mathématique employée par Vitruve intègre donc des univers non-homogènes: une mathématique «physique» liée à la nature, à l'observation, différente d'une mathématique «disciplinaire», abstraite, capable d'instituer une science générale.

F. Gil opère une différenciation entre l'idée d'une mathématique «disciplinaire» capable d'instituer une science générale et celle d'une mathématique «physique» qui, pour intégrer une composante «naturelle» (le corps humain chez Vitruve), se soustrait aux constructions disciplinaires: une mathématique «physique» comme celle que nous trouvons dans l'œuvre de Kepler.

L'harmonie képlérienne intègre les consonances musicales, les cinq polyèdres réguliers inscrits et circonscrits dans les orbites des planètes, les distances entre eux et leur vitesse ainsi qu'une sorte de bio-anthropologie construite à partir de l'astrologie.[99]

Le modèle anthropométrique de Vitruve a traversé les siècles; ses relations métriques et mathématiques ont changé (Léonard, Serlio, Alberti) mais sa valeur d'archétype est restée intacte (encore dans «Le modulor» de Le Corbusier).

Pour Kepler également, il s'agit de définir des archétypes «d'intelligibilité» et des archétypes de «construction» (c'est le terme qu'il emploie), à travers la multiplication des figures.

Pour Kepler, la théorie des harmonies régit l'ensemble de l'existence humaine et animale: l'amour, la haine, les relations interpersonnelles, la sexualité, la perception esthétique, la danse, la métrique dans la poésie, l'architecture, l'habillement, mais aussi le bonheur, l'histoire, la justice et en dernière instance le monde entier.[100]

3.2 *Enseignement. Praescriptiones terminatas - Praecepta ordinata - Doctrina.*

L'enseignement de l'architecture dans le traité de Vitruve s'adresse à un public varié et se construit sur le modèle de *l'encyclios*. De ce vaste public le premier interlocuteur est Auguste, à qui Vitruve dédie l'œuvre et avec qui il partage trois choses: A) les enjeux contemporains, politiques, sociaux et économiques, ainsi que l'impact de l'œuvre dans la société romaine du premier siècle; B) les difficultés dans la construction de l'œuvre, l'épaisseur intellectuelle et humaine de celui qui écrit le traité, ainsi que la réflexion sur le statut même de l'architecte; C) la structure du système qui sous-tend l'organisation des connaissances qu'il met en œuvre dans son traité.

La position *ex-partis* de l'Empereur permet à Vitruve de développer un «métalangage» qui se révèle très utile dans la stratégie communicative du traité du fait qu'il ne se superpose pas avec son contenu thématique.

Mais la vraie stratégie communicative du traité (et donc aussi sa chance historique) réside dans le travail de transmission d'un savoir utile et accessible à tous. La condition nécessaire pour pouvoir être destinataire de cet enseignement est d'être détenteur de l'*encyclios paideía* (ce qui est le propre de tout homme de culture).

Les éléments principaux qui caractérisent les détenteurs de *l'encyclios* sont: A) la capacité à tisser les liens entre les disciplines, aspect qui revêt un caractère plus universel car autonome et catégoriel; B) un goût prononcé pour les «lettres»,[101] thème certainement local car lié à la dimension culturelle du Ier siècle.

L'emploi systématique «d'histoires»[102] qui précédent ou accompagnent et qui résument «les faits d'architecture», est à interpréter en partie dans cette optique.

Le lien étroit entre un corps objectif de connaissance et une forme subjective de la connaissance (les «histoires» que Vitruve raconte pour illustrer les vertus humaines ou qualités de l'architecte ou les formes de son savoir) est déjà manifeste à partir de *l'Ethique à Nicomaque*. A ce propos, F. Gil dit: «Les vertus intellectuelles (qu'Aristote appelle les *habitus* cognitifs) adhèrent aux corps des connaissances (arts, sciences, savoir philosophique et pratique) et constituent pour celles-ci les conditions de leur apprentissage durable».[103]

Nous interprétons ces histoires et leur contenu moralisateur comme la tentative d'argumenter l'existence du sujet, ainsi que de faire état de «l'agir», donc de la «vertu».

«Apparaître et être», «simple et complexe», «choix de courte durée et choix de longue durée», «superficialité et profondeur», «fantaisie et réalité», «jeunesse et maturité», «étourderie et sagesse», nous retrouvons dans ces histoires «l'image» de tous les caractères principaux de la *Weltanschauung* du Ier siècle à Rome et du profil du nouvel intellectuel: la romanisation de la culture, le retour à des formes antiques pour lutter contre «l'esthétisation» de la culture romaine provoquée par les influences grecques et asiatiques, la naissance du nouvel intellectuel, le primat de la vertu sur les choix politiques, la «scientifisation» de la culture, la fondation d'un nouveau savoir à travers sa ré-organisation, etc.

Cet environnement cognitif trouve une correspondance dans ce que Karl Popper appelle «le troisième monde», qui n'est pas celui des «états

physiques», ni celui des «états d'esprit», mais celui: «des produits de l'esprit humain, comme les contes, les mythes explicatifs, les instruments, les théories scientifiques (vraies ou fausses), les problèmes scientifiques, les institutions sociales et les oeuvres d'art».[104]

3. 3 *Le modèle encyclopédique Encyclios disciplina - corpus unum.*

Il s'agit bien évidemment de retrouver une analogie entre le modèle théorique vitruvien d'organisation des connaissances et l'encyclopédie.

La représentation encyclopédique est devenue d'une telle évidence dans l'expérience de chacun qu'elle pourrait tout bonnement apparaître comme la principale organisation et transmission du savoir.

Le double office de «conservation» et de «transmission» auquel répond l'encyclopédie se trouve pris, dans l'histoire de l'homme, entre deux pôles: système et systématique, logique et empirie.

Du système à la systématique. - Bien que ces systématiques anciennes, du Moyen-Âge à la Renaissance, soient inspirées du langage, elles conservent encore l'idée d'un ordre général des connaissances inspiré du «tout». Pour connaître une rupture définitive avec toutes ces formes de systèmes de connaissances, il faudra attendre l'encyclopédie alphabétique du XVIIIe siècle. L'utilisation de l'ordre alphabétique imposera au savoir un ordre «empirique» et non plus «logique».

Pour pouvoir interpréter l'organisation des connaissances du traité de Vitruve, nous devons nous référer aux modèles encyclopédiques qui intègrent ce passage fondamental entre le système et la systématique. Les modèles encyclopédiques qui nous intéressent sont ceux qui expriment la volonté de représentation d'un «modèle du monde». Nous nous intéressons aux modèles de transmission des connaissances qui proposent une «représentation» et non pas une «classification» de données.

Frontispice de l'édition de De Architectura de Daniele Barbaro, Venise 1567.

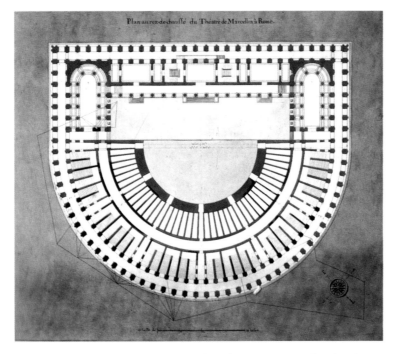

Antoine Laurent, Thomas Vaudoyer (1756-1846), le Teatro Marcello, plan du rez-de-chaussée, dessin à l'encre de chine diluée.

Le terme encyclopédie, dans sa signification moderne d'organisation et de représentation des connaissances, plutôt que de récolte et d'inventaire, n'entre dans la culture européenne moderne qu'à travers la Renaissance.

Il est interprété en tant qu'organisation du savoir mais aussi comme systématisation des études.

Non sans ambiguïté, les humanistes traduisent-ils le mot et sa signification de l'Antiquité latine: à travers Pline, Quintilien [*Institutio oratoria*, livre I, 1: *enkýklios paideía*] et Vitruve au chapitre I de son *De Architectura*: *encyclios disciplina*.[105]

La culture latine se réfère à la formule grecque *enkýklios paideía* utilisée (en particulier par la culture hellénistique) pour définir la préparation d'un cycle courant d'étude (ἐνκύκλιος παιδεία[106] ou μαθήματα),[107] nécessaire pour accéder à toute forme supérieure de la culture.

Le fait que *l'encyclios* désigne un cycle d'études, une école, est bien attesté.[108] Déjà, dans l'antiquité, cette idée *d'encyclios* en tant que cycle d'études reste séparée des systèmes philosophiques d'organisation du savoir (comme la classification aristotélicienne des sciences).

Platon, par exemple, emploie un autre mot qu'*encyclios* (πολυμάθεια)[109] pour définir le savoir universel de *Ippia*. Dans une approche semblable, Vitruve fait la liste de tous ceux qui ont dépassé le stade de la «culture de base», de *l'encyclios*, pour être qualifiés de «savants», détenteurs de «tout» le savoir: *Aristarco di Samo, Filolao, Archita di Taranto, Apollonio di Per-*

ga, Eratostene di Cirene, Archimede e Scopinas di Siracusa.

Vitruve, pour l'*encyclios,* renonce au système pour construire une systématique qui assume le caractère de «non-fini» et de «non-unique», fondé sur l'hypothèse qu'il existe d'infinis ordres de connaissances et d'interconnexions entre les disciplines.

L'encyclios est donc définie comme un *unicum* que Vitruve associe à l'image du corps humain.[110]

Pour Diderot et d'Alembert, cet *unicum* prend la forme du «dictionnaire raisonné»; d'une machine dont le fonctionnement peut être saisi en la démontant. L'organisation thématique de Vitruve, n'est pas très différente. Vitruve, lui aussi, cherche l'autonomie et l'exhaustivité dans chaque thème et dans chaque Livre. Pour le *De Architectura* aussi il s'agit d'une transmission qui essaye, d'un côté, d'intégrer toutes les connaissances (dictionnaire) et de l'autre d'opérer une synthèse, de les systématiser (enchaînement).

Des systématiques au modelé. - L'*encyclopédie* tout entière, dans son organisation, dépasse le stade de système jusqu'à être considérée comme le modèle «ancestral» de cette nouvelle façon de penser et de transmettre les savoirs. Pour Vitruve, cette façon de penser et de transmettre les savoirs se concrétise par la recherche des frontières et des points en commun entre tous les savoirs de *l'encyclios*.[111]

Ce *unicum* est confronté aux trois

apories fondamentales de *l'encyclios*:

A) une forme de connaissances finies comme modèle d'un savoir en devenir; B) une représentation unitaire d'un ensemble de savoirs, d'objets, de processus, de méthodes non-homogènes; C) une systématique qui soit la représentation des infinis points de vue du sujet.

Le projet vitruvien trouve sa place au sein de cette famille de projet encyclopédiques entant que représentation d'un «modelé de monde». Tous ces projets présentent certaines caractéristiques communes, ils sont.

Des ontologies. Ils ont pour objet les articulations même de l'être et non pas des artefacts. Les artefacts, quand ils sont reconnus, témoignent encore de la nature des choses. Les substrats de toutes les articulations sont à chercher non pas dans «l'architecture» mais dans le «savoir de l'architecte» ils se placent à l'articulation de «l'être». Ces objets sont nécessairement catégoriels, syntactique et sémantiques. Ils constituent des re-formulations catégorielles de l'ensemble ou d'une partie des disciplines paradigmatiques. Une appartenance commune de l'être et du langage et/ou de la pensée. Le dispositif des couples philosophiques décrit, est la première articulation entre être et langage.

Le *De Architectura* partageant toutes ces caractéristiques est donc bien à la fois un véritable projet encyclopédique une encyclopédie du projet et une théorie d'architecture.

NOTES

[1] N.B. L'article, dans son ensemble, fait référence au livre (en cour d'édition). VIOLA 2005.

[2] KRUFT 1999, pp. 3-15.

[3] VITRUVE, VI, 2.

[4] KRUFT 1999, pp. 3-15.

[5] GROS 1997, pp. IX-XCV.

[6] Chez ces auteurs, cette analyse dérive selon nous de la superposition du concept de «système» et de celui de «systématisation».

[7] PRIGOGINE - STENGERS 1977, pp. 993-1023.

[8] GROS 1997, pp. IX-XCV.

[9] CICERONE, *De Oratore*, Traduction de M. Martina, M. Ogrin, I. Torzi, G. Cettuzzi, Milan 1994, (Introduction).

[10] CICERONE, *De Oratore*, I, 1, 7.

[11] CICERONE, *De Oratore*, Introduction.

[12] CICERONE, *De Oratore*, I, 1.

[13] GIL 1978, pp. 778-805.

[14] VITRUVE, I, *praef.*, 3.

[15] VITRUVE, X, *praef.*, 4.

[16] VITRUVE, V, *praef.*, 2.

[17] VITRUVE, VII, *praef.*

[18] GROS 1997, note 1, p. 592.

[19] LEROI - GOURHAN 1964-65.

[20] GIL 1978, pp. 778-805.

[21] ROMANO 1997, pp. LXXIX-XCV.

[22] MAROUZEAU 1949, p. 113. Voir aussi, MAROUZEAU 1955-56, pp. 148-150.

[23] Il est: «L'immense puissance du négatif, il est l'énergie du penser». HEGEL 1960.

[24] VITRUVE, I, 1, 2.

[25] VITRUVE, I, 1, 1.

[26] VITRUVE, I, 2, 1.

[27] VITRUVE, I, I, 7.

[28] VITRUVE, VI, 2, 1.

[29] VITRUVE, I, I, 1.

[30] VITRUVE, I, I, 1.

[31] VITRUVE, I, 1, 15: *Igitur in hac re Pytheos errasse videtur, quod non animadvertit ex duabus rebus singulas artes esse compositas, ex opere et eius ratiocinatione.*

[32] Le concept de deux composantes de la *téchnè* est d'origine péripatétique.

[33] VITRUVE, I, 1, 11.

[34] VITRUVE, I, 1, 12.

[35] VITRUVE, I, 1, 12: *Cum autem animadverterint omnes disciplinas inter se coniunctionem rerum et communicationem habere, fieri posse faciliter credent.*

[36] VITRUVE, I, 1, 12.

[37] VIVES 1555.

[38] VIVES 1555.

[39] «Il ne s'agit plus de trouver un passage entre deux sphères séparées de la réalité mais plutôt d'analyser un complexe déterminé de vérité de telle façon que les conditions de sa validité deviennent explicites. Aujourd'hui l'enquête ne revient plus, en première instance, à déterminer l'existence des choses, elle travaille plutôt à établir la relation et la dépendance, c'est à dire le rapport de prééminence et de subordination qui subsiste entre les jugements.» CALABRO 1981, pp. 69-77.

[40] VITRUVE, I, 3, 1.

[41] GIL 1978a, pp. 1050-1095.

[42] GIL 1978a, pp. 1050-1095.

[43] GIL 1978a, pp. 1050-1095.

[44] BATESON-BATESON 1987, p.34.

[45] BARBARO 1556.

[46] FERRI 1960.

[47] DE FUSCO 1968.

[48] GIL 1978a, pp. 1050-1095.

[49] ARISTOTE, *Ethique à Nichomaque* VI, 4.

[50] La *fabrica*, (l'aspect pratique) concerne «l'expérience qui permet de donner forme à la matière», manuellement ou en suivant un dessin préétabli; la *ratiocinatio* (la réflexion théorique) concerne le domaine «des explications» et de la démonstration des principes constructifs; *"ce qui est signifié" – quod significatur* fait référence à «l'objet en question»; *"ce qui signifie" – quod significat* – évoque une «démonstration conduite selon la méthode rationnelle de la science»; l'*ingenium*, appartient au domaine de «l'intuition sensible»; la *disciplina* à celui des «pratiques culturelles», etc... VITRUVE, I, I, 1, 1-3.

[51] VITRUVE, I, I, 3: *Quare videtur utraque parte exercitatus esse debere, qui se architectum profiteatur.*

[52] Il n'utilise pas le terme *genus*, ni *species* et ni *partes*, mot qu'il utilise par exemple dans le chapitre trois pour introduire la deuxième liste.

[53] GIL 1983, pp. 804-822.

[54] GIL 1983, pp. 804-822.

[55] «Ce qu'on ne prêche pas dans un sujet et qui n'est pas dans un sujet». [ARISTOTE, *Catégories*, 4a 10].

[56] Tout ce qui se prêche d'un sujet sans appartenir à aucun sujet.

[57] «L'espèce se réfère au genre: en effet, l'espèce est substrat du genre, puisque les genres sont prédicats des espèces, mais les espèces ne sont pas à leur tour prédicats des genres». [ARISTOTE, *Catégories*, 2b, 20].

[58] GROS 1997, Vol. I, note critique.

[59] VITRUVE, IV, *praef.*

[60] VITRUVE, IV, *praef.*

[61] GROS 1997, p. LIV: «L'aspect "entomologique" de cette entreprise n'échappe pas à Vitruve».

[62] APOSTEL 1963, pp. 157-230.

[63] GIL 1981, p. 1032.

[64] VITRUVE, V, *praef.*: *Non enim de architectura sic scribitur uti historia aut poemata.*

[65] CLAUBERG 1654.

[66] *Eupraxia* – Bonne conduite; de simple réalisation.

[67] MILLER 1954, p. 169.

[68] GIL 1978b, p. 1050.

[69] VITRUVE, I, *praef.* 3: *disciplinae rationes.*

[70] VITRUVE, I, 1, 1, *pluribus disciplinis.*

[71] VITRUVE, I, 1, 12.

[72] Le concept de «partie transmissible» fait référence à la question des *matémata* et de la *téchné* d'un côté et des *habitus* de l'autre. Voir chap. III.

[73] VITRUVE, I, 1, 3.

[74] VITRUVE, IV, *praef.* 4.

[75] DIDEROT 1968, p, 155.

[76] DIDEROT 1968, p. 155.

[77] GIL 1978b, p. 1018.

[78] MEIER 1666, pp. 233 et 226; FROMME 1665, pp. 69-144.

[79] La thèse fondamentale sur l'organisation des disciplines prononcée par Aristote, la plus répandue, consiste à dire que les sciences comme les disciplines appartiennent à un seul genre à la fois aucune démonstration ne peut passer d'un genre à un autre car les ἀϱχαί sont spécifiques à chaque discipline [ARISTOTE, *Seconds Analytiques*, 75a, 38 – 75b, 20].

[80] *Didascalia* – Instruction; enseignement; préparation dispensée par le metteur en scène aux acteurs avant de commencer la tragédie; résumé écrit sur la fiche de présentation de la pièce de théâtre.

[81] *Máthēsis* – Faculté à apprendre; acquisition de connaissances; art d'apprendre.

[82] Bien que *l'encyclios* soit composée par toutes les disciplines comme «*un corps et ses membres*», elle ne reflète pas l'idée de science universelle. Elle ne se compose pas en effet de la *summa* des disciplines mais d'une chaîne de savoirs issus des disciplines. La critique à l'idée de science universelle que fait Aristote, trouve son fondement dans l'impossibilité d'imaginer que cette science soit accessible à tout le monde, qu'elle représente un savoir immédiat [ARISTOTE, *Métaphysique*, 992b, 28-30] puisque aucune discipline ne peut être apprise sans des *praecognita*, soit qu'elle procède par démonstration, soit qu'elle procède par définition, soit qu'elle procède enfin par intuition. [ARISTOTE, *Métaphysique*, 992b, 25-35; *Seconds Analytiques*, 71a, 1-11 et 99b, 28-30].

[83] VITRUVE, I, 1, 13.

[84] VITRUVE, I, 1, 12.

[85] «De façon générale, ce qui distingue ceux qui connaissent de ceux qui ne connaissent pas est leur capacité à enseigner» [ARISTOTE, *Métaphysique*, 981b, 7].

[86] GIL 1978b, p. 1022.

[87] *Epistémē* – Expérience, habilité, connaissance; savoir; connaissance scientifique; science.

[88] *Téchnai* – arts, possession pratique des possédés. En morale: connaissance des moyens; habilité à faire; pratique des expédients.

[89] *Phrónēsis* – façon de diriger ses sentiments; noblesse de sentiments; intention; projet.

[90] GIL 1978b, pp. 1009-1010.

[91] «L'esprit a le pouvoir naturel de connaître toutes les choses quand il est dirigé et prédisposé pour le comprendre». RAMO 1555, p. 68.

[92] GIL 1978b, 1024: «Cet effacement exprime au plus profond la dé-contextualisation de la connaissance, sa désincarnation par rapport à l'expérience sensible, qui est le caractère le plus déterminant de la révolution scientifique.».

[93] *Máthēma* – science; connaissance; enseignement; chose enseignée.

[94] *Manthánō* – Apprendre par l'étude, par la pensée, avec le cœur; l'habitude d'apprendre; venir à connaître par l'expérience ou par la vue.

[95] *Máthēsis* – Etude, acquisition de connaissance; faculté d'apprendre.

[96] SNELL 1924, in GIL 1978b, p. 1025.

[97] POPPER 1972, p. 147.

[98] *Analogia* – Rapport mathématique; proportion; rapport; analogie.

[99] KEPLERO 1940, in GIL 1978b, p. 1027.

[100] GIL 1978b, p. 1028.

[101] VITRUVE, V, *praef.*

[102] L'histoire comme la poésie sont considérées par Aristote comme les branches littéraires les plus prestigieuses, [ARISTOTE, *Poétique*, 9, 1-6, 1451 a-b] et par la culture romaine républicaine tardive.

[103] GIL 1979, p. 713.

[104] POPPER 1949, p. 55.

[105] VITRUVE, I, 1, 12.

[106] *Enkúklios paideía* - culture de base

[107] *Enkúklia mathémata* - cycle courant d'étude commun à tous.

[108] SALSANO 1977, p. 23. Pour l'étymologie latine du mot encyclopédie voir aussi: MARROU 1958; MARROU 1965 et DELLA CORTE 1946.

[109] *Polümátheia* – savoir beaucoup, avoir beaucoup de connaissances; très savant.

[110] VITRUVE, I, 1: *Encyclios enim disciplina uti corpus unum ex his membris est composita.*

[111] VITRUVE I, 1, 15-16: *...uti medicis et musicis est de venarum rythmo et ad pedes motu; similiter cum astrologis et musicis est disputatio...*

BIBLIOGRAPHIE

APOSTEL 1963 = L. APOSTEL, *Le problème formel des classifications empiriques*, in, *La classification dans les sciences*, Gembloux 1963, pp. 157-230.

BARBARO 1556 = D. BARBARO, *I dieci libri dell'architettura di M. Vitruvio*, Venezia 1556.

BATESON - BATESON 1987 = G. BATESON - M. C. BATESON, *Dove gli angeli esitano*, Milano 1987, p. 34.

CALABRO 1981 = G. CALABRO, «Soggetto/oggetto», in *Enciclopedia Einaudi*, vol. XIII, Torino 1981, pp. 69-77.

CLAUBERG 1654 = J. CLAUBERG, *Logica vetus et nova, quadripartita, modum inveniendae ac tradendae veritatis in Genesi simul et analysi acili methodo-exhibens*, Amsterdam 1654.

DE FUSCO 1968 = R. DE FUSCO, *Il codice dell'architettura. Antologia dei trattatisti*, Napoli 1968.

DELLA CORTE 1946 = F. DELLA CORTE, *Enciclopedisti latini*, Genova 1946.

DIDEROT 1751 = D. DIDEROT, «Art», in *Encyclopédie, ou Dictionnaire raisonné des sciences, des arts et de métiers. Dix volumes in folio proposés par souscription (Prospectus)*, Briasson - Paris 1751 (ma 1750) (trad. it., *Enciclopedia o dizionario ragionato delle scienze, delle arti e dei mestieri. Antologia*, Bari 1968, p, 155).

FERRI 1960 = S. FERRI, *Vitruvio. Architettura* (dai libri I-VIII), Roma 1960.

FROMME 1665 = V. FROMME, *Isagoge philosophica*, Brandenburg 1665, pp. 69-144.

GIL 1978 = F. GIL, «Conoscenza», in *Enciclopedia Einaudi*, vol. III, Torino 1978, pp. 778-805.

GIL 1978a = F. GIL, «Coppie filosofiche», in *Enciclopedia Einaudi*, vol. III, Torino 1978, pp.1050-1095.

GIL 1978b = F. GIL, «Disciplina/discipline», in *Enciclopedia Einaudi*, vol. IV, Torino 1978b, p. 1050.

GIL 1979 = F. GIL, «Insegnamento», in *Enciclopedia Einaudi*, vol. VII, Torino 1979, p. 713.

GIL 1981 = F. GIL, «Sistematica e classificazione», in *Enciclopedia Einaudi*, vol. XII, Torino 1981, p. 1032.

GIL 1983 = F. GIL, «Categorie / categorizzazone», in *Enciclopedia Einaudi*, vol. II, Torino 1983, pp. 804-822.

GROS 1997 = P. GROS (a cura di), *Vitruvio. De Architectura*, Torino 1997, pp. IX-XCV.

HEGEL 1960 = G.W.F. HEGEL, *Phänomenologie des Geistes*, Bamberg-Würzburg.

KEPLERO 1940 = J. KEPLERO, *Harmonices mundi libri V*, Linz 1619. Livre V chapitre IX, in *Gesammelte Werke*, vol. IV, München 1940. Cité en : GIL 1978b, p. 1027.

KRUFT 1999 = H.-W. KRUFT, *Storia delle teorie architettoniche. Da Vitruvio al settecento*, Bari, 1999, pp. 3-15. (Première édition 1988. Titre de l'édition originale : *Geschichte der Architekturtheorie von der Antike bis zur gegenwart*. C.H. Beck'sche Verlagsbuchhandlung (Oskar Beck), München 1985).

LEROI-GOURHAN 1964-65 = A. LEROI-GOURHAN, *Le geste et la parole*, II voll., Paris 1964-65.

MAROUZEAU 1949 = J. MAROUZEAU, *Quelques aspects de la formation du latin littéraire*, Paris, 1949, p.113.

MAROUZEAU 1955-56 = J. MAROUZEAU, *Naissance des abstraits*, in *Humanitas*, 7-8, 1955-56, pp. 148-150.

MARROU 1958 = H.I. MARROU, *Saint Augustin et la fin de la culture antique* (avec une *Retractatio*), Paris 1958.

MARROU 1965 = H.I. MARROU, *Histoire de l'éducation dans l'Antiquité*, Paris 1965.

MEIER 1666 = G. MEIER, *Gnostologie cognitionis humanae fundamenta*, Wittenberg 1666, pp. 233 et 226.

MILLER 1954 = P.G.E. MILLER, *The New England Mind: the Seventeenth Century*, Cambridge Mass. 1954, p. 169.

POPPER 1949 = K. R. POPPER, *The Self and its Brain*, Berlin - Heidelberg - London - New York, trad. it., Armando, Roma, 1981, p. 55.

POPPER 1972 = K. R. POPPER, *Conjectures and Refutations, the Growth of Scientific Knowledge*, London 1969[2] (trad. it., Il Mulino, Bologna 1972, p. 147).

PRIGOGINE - STENGERS 1977 = I. PRIGOGINE - I. STENGERS, « Sistema », in *Enciclopedia Einaudi*, vol. XII, Torino 1977, pp. 993-1023.

RAMO 1555 = P. RAMO, *Dialectique*, Paris 1555, p. 68.

ROMANO 1997 = E. ROMANO, *Fra astratto e concreto. La lingua di Vitruvio*, in GROS 1997 (a cura di), pp. LXXIX-XCV.

SALSANO 1977 = A. SALSANO, «Enciclopedia», in *Enciclopedia Einaudi*, vol. I, Torino 1977, p. 23.

SNELL 1924 = B SNELL, *Die Ausdrüke für den Begriff des Wissen in der vorplatonischen Philosophie*, Berlin 1924.

VIOLA 2005 = A. VIOLA, *Vitruve. Le savoir de l'architecte*, Paris 2005.

VIVES 1555 = J.L. VIVES, *Opera*, Basel 1555.

Sinesio, l'aerometro e il peso dell'acqua

di
Giovanni di Pasquale

ABSTRACT

Historians of science and technology usually believe that Synesius of Cyrene, in the late IV century AD, was the first one to ideate the udroskopeion, *that is an apparatus similar to the areometer, the device used in physics to weigh the density of fluids and the specific weights of the bodies.*
The theoretical knowledge dealing with the concept of specific weight was understood from Archimedes, during the III century B.C. Moreover, starting from the V century B.C., Hyppocrates, dealing with medical questions, underlines the opportunity of knowing the different weight of water.
In this paper we try to demonstrate that the areometer was known just before than Synesius of Cyrene. The author of the Carmen de ponderibus et mensuris, *writing at the end of the IV century A.D., mentions a device to weigh liquids. The main source of this author was Maenelaus of Alexandria, who worked in Rome at the end of the I century A.D. Moreover, Maenelaus was author of studies dealing with an instrumental device to find the different quantities of metal inside an object. In the same century, other litterary sources (Pliny the elder and L. A. Seneca) record the interst on the question of the different weight of water.*

Chi oggi si occupi di storia degli strumenti scientifici e delle discipline ad essi correlate, ha ben presente che la prima citazione letteraria di un dispositivo che ha la funzione dell'areometro viene tradizionalmente individuata all'interno di un'epistola che Sinesio, costretto a letto da una malattia, scrive a Ipazia[1].
Sinesio, nato a Cirene attorno al 370 d.C. e allievo di Ipazia, uccisa ad Alessandria d'Egitto nel corso dei tumulti scoppiati nel 415 d.C. tra la comunità cristiana e quella pagana, rivolge alla studiosa una precisa richiesta, relativa al reperimento di un dispositivo che egli descrive minuziosamente.
Secondo una tendenza assai diffusa tra antichisti e storici della scienza, l'epistola che Sinesio scrive a Ipazia indicherebbe il momento, in età tardo antica, in cui l'areometro avrebbe fatto la sua comparsa nella vita dell'uomo.
Ecco quindi le parole di Sinesio[2]:
"Mi trovavo molto sofferente, così da avere bisogno di un *udroskopeíon*. Vi prego di farlo fare in ra-

me e di comprarmelo. Si tratta di un tubo a forma di cilindro, che ha la forma e la grandezza di un flauto: sulla sua lunghezza porta una linea retta, attraversata da piccole linee orizzontali, attraverso le quali noi giudichiamo il peso *(ropèn)* delle acque. Una delle estremità è coperta da un cono, posto in basso, in modo che il tubo e il cono hanno la stessa base. Chiamiamo questo strumento *barúllion*. Se lo mettiamo nell' acqua per la punta resterà in piedi e si possono facilmente contare le sezioni che coprono la linea verticale e per essa conoscere il peso dell' acqua".
Questa descrizione, tradizionalmente considerata priva di quelle precisazioni che sarebbero necessarie al fine di tentare una restituzione grafica del dispositivo, appare invece talmente particolareggiata da permettere di darne una ricostruzione abbastanza dettagliata. Il tubo è di rame, appesantito da un piccolo peso applicato all'estremità inferiore, il *barullion*, che serve ad ottenere il galleggia-

mento del dispositivo una volta inserito nel liquido di cui si vuole conoscere la densità[3]. La presenza della linea verticale con le sezioni orizzontali che la ricoprono è di grande importanza: tante più sono le sezioni, il numero delle quali non è indicato da Sinesio, quanto maggiore sarà la precisione dello strumento. Che l'apparato così sinteticamente descritto fosse un antesignano di ciò che noi oggi chiamiamo areometro, non vi sono dubbi. Alcune notizie contenute all'interno di fonti letterarie più antiche sembrano però indicare che l'origine di questo dispositivo potrebbe essere precedente. Nel presente saggio si cercherà quindi di capire se la conoscenza di questo apparato non debba essere sensibilmente retrodata ad un'epoca compresa tra la seconda metà del III secolo a.C. e la seconda metà del I secolo d.C. Il termine areometro giunge a noi come composto da ἀραιός, "leggero – sottile – esile", e μέτρον, "misura", e indica un apparecchio per la determinazione del peso

Fig. 1 – Bilancia con peso scorrevole. Museo Archeologico Nazionale di Napoli, inv. 740.0, I sec. d.C.

specifico e della densità dei liqui-di. Si tratta di un dispositivo sul cui progressivo perfezionamento si sono concentrate le ricerche di illustri studiosi.

Nel 1612 un areometro fu descrit-to da Galileo Galilei in una lette-ra al Nozzolini e, nel 1648, Raf-faello Magiotti (1597-1656)[4] ne fa menzione a Don Lorenzo de' Me-dici. Nella seconda metà del Set-tecento e nel corso dell'Ottocento furono ideati e brevettati vari tipi di areometro sempre più perfe-zionati, che trovarono vastissima applicazione nelle industrie e nel-le manifatture, adoperati per de-terminare in modo rapido ed effi-cace il peso specifico e la con-centrazione dei liquidi in soluzio-ni diverse. Fra i più noti si ricor-dano gli areometri ideati da An-toine Baumé (1728-1804)[5], Wil-liam Nicholson (1753-1815)[6] e Gabriel Daniel Fahrenheit (1686-1736)[7]. Che le ricerche sul perfe-zionamento di questo strumento non fossero considerate concluse lo dimostrano gli studi di Angelo Bellani (1776-1852), un padre monzese che nel 1805 aveva pub-blicato la Descrizione dell'areo-metro universale a cilindro[8], ri-vendicando l'ideazione di un ap-parato capace di misurare tanto il peso specifico dei corpi, quanto la densità dei fluidi, senza varia-zioni di tipologia.

Tornando a Sinesio, nella lettera che scrive a Ipazia, dichiara di avere bisogno di questo apparato dovendo conoscere il peso del-l'acqua per questioni di salute.

Che le acque correnti potessero avere un diverso peso e che tale caratteristica avesse una particola-re importanza specialmente in campo medico era cosa nota da tempo. Infatti, l'idea che la diver-sa densità delle acque da sommi-nistrare ai malati costituisse un fattore di rilevante importanza per la cura di alcune malattie, si era affermata in epoca ben più antica di quanto non appaia dalla lettu-ra di questo brano. Nell'opera ip-pocratica Le arie, le acque, i luo-ghi, troviamo una prima precisa osservazione in merito: "Bisogna poi anche, quanto alle acque, porre mente ai loro poteri perché, come differiscono nel gusto e nel peso, così anche differisce molto il potere di ognuna"[9].

Da tempo i medici ritenevano che le acque più leggere fossero le migliori per curare gli ammalati e in quest'ottica dobbiamo leggere la richiesta che Sinesio rivolge a Ipazia. Possiamo quindi ipotizza-re che proprio la necessità di va-lutare con esattezza la diversa densità delle acque abbia guidato la ricerca scientifica e tecnologica verso la scoperta di questo parti-colare apparato.

Quando Sinesio rivolge la sua ri-chiesta a Ipazia, l'osservazione del-la diversa densità dei fluidi aveva da tempo incuriosito Archimede, che nel III secolo a.C. aveva dedi-cato a questo argomento ricerche di notevole spessore, che poi sa-rebbero confluite nel trattato De his quae vehuntur in aqua. Nei due li-bri che compongono Il trattato sui galleggianti, probabilmente parte di una più ampia raccolta di testi di meccanica scritta dal Siracusano, venivano messe a punto diciannove proposizioni il cui tema comu-ne è l'immissione totale o parziale di un corpo in un liquido. Archi-mede esaminava i casi in cui il so-lido immerso ha peso specifico uguale oppure maggiore di quello del liquido in cui si trova. Pur non adoperando un'espressione equi-valente allo nostra di "peso specifi-co", il concetto doveva essere chia-ro al Siracusano che, come notava A. Frajese[10], faceva ricorso ad e-spressioni come τά ἰσοβαρέοντα τω ὑγρῷ, che non lasciano dubbi in pro-posito. È poi nel libro primo, dove si suppone che le verticali passan-ti per i corpi immersi in un liquido siano convergenti verso il centro della terra, che viene fissato il prin-cipio che ancora oggi definiamo "di Archimede".

Ponendosi contro Aristotele e i suoi seguaci, che affermavano che l'af-fondamento o il galleggiamento di un corpo dipende dalla sua forma, Archimede spostava l'attenzione sul nuovo concetto di peso specifi-co.

Proprio in virtù di queste ricer-che, molti hanno ritenuto che Ar-chimede avesse già ideato l'udro-skopeión e che, in particolar mo-do, se ne fosse occupato per ri-solvere il celebre problema della corona. Il fatto è noto. Il tiranno di Siracusa Ierone II consegna a un artigiano una certa quantità d'oro perché vuole dedicare una corona agli dei. Quando gli viene restituita, sospetta di essere stato ingannato, ovvero che la corona non contenga tanto oro quanto ne ha consegnato all'artigiano.

Per questa ragione chiede ad Archimede di scoprire se i suoi sospetti siano fondati o meno. Secondo la versione tramandataci da Vitruvio[11], Archimede sarebbe giunto alla soluzione del problema dopo aver osservato lo spostamento dell'acqua nella vasca da bagno una volta immersovisi.

A questo punto, Archimede si sarebbe servito di un contenitore pieno d'acqua nel quale avrebbe immerso la corona e due masse, una d'oro e una d'argento, del medesimo peso della corona stessa. Nel fare ciò, Archimede avrebbe preso nota, secondo Vitruvio, della differente quantità di acqua che fuoriusciva dal recipiente: la massa d'oro determinava un minore spostamento d'acqua dal contenitore rispetto all'argento, mentre la corona faceva uscire una maggiore quantità rispetto alla massa d'oro.

Non vi è, quindi, nel racconto vitruviano, l'impiego di una particolare strumentazione da parte di Archimede per risolvere il problema della corona. Commentando questo episodio, G. Lloyd aveva sostenuto che l'operato di Archimede si prestava a diverse soluzioni e che il Siracusano, diversamente da quanto raccontato da Vitruvio, avrebbe potuto più semplicemente effettuare le pesate per mezzo di una bilancia dentro un contenitore d'acqua[12]. Nell'affermare questo, Lloyd non faceva altro che attenersi al secondo metodo a noi noto attraverso le fonti letterarie e descritto nel *Carmen de ponderibus et mensuris*, poemetto in versi per lungo tempo attribuito al grammatico Prisciano, ma oggi considerato di ignota paternità, scritto presumibilmente tra il finire del III e il principio del IV secolo d.C.[13].

Nell'introduzione del poema si trova il termine *Paeonius* (v.1), un riferimento al medico degli dei, figura mitica che col tempo verrà abbinata ad Apollo, divenendone uno degli appellativi (Macrobio, I, 17, 15). Ciò rivela gli interessi in campo farmaceutico da parte dell'autore del poema: i *libelli Paeonii* citati nel primo verso del *Carmen* alludono infatti alle tabelle di farmaci che venivano allegate ai trattati di medicina, particolarmente utili perché recavano indicazione delle dosi da somministrare agli ammalati.

Ai versi 124-178 del poema si trova la descrizione del procedimento seguito da Archimede per risolvere il problema della corona.

Secondo l'autore del *Carmen de ponderibus et mensuris,* Archimede avrebbe risolto questo problema pesando le tre masse direttamente dentro l'acqua. In un recente studio ho avuto modo di affrontare questo argomento evidenziando come, a mio avviso, lo strumento descritto non chiaramente e usato da Archimede doveva corrispondere a un particolare tipo di bilancia, detta «a cavaliere», caratterizzata dalla presenza di un piccolo peso scorrevole su una metà del giogo[14] (fig. 1). Tra l'altro, la diffusione di questa particolare bilancia è attestata da numerosissimi reperti archeologici ad essa riferibili.

In questa bilancia, il piccolo peso scorrevole posto su uno dei due bracci, che era opportunamente graduato, risultava di grande utilità perché permetteva di quantificare velocemente le piccole eccedenze o mancanze di peso rispetto all'unità presa in considerazione, ovvero esattamente ciò che ad Archimede occorreva sapere con precisione. Anche in questo caso, tuttavia, non vi è alcun riferimento all'areometro. Lo stato delle fonti in nostro possesso non autorizza a percorrere questa strada, che pure potrebbe apparire come logica conseguenza delle ricerche compiute dal Siracusano sia sugli strumenti per pesare che sui corpi galleggianti. Pertanto, la possibilità che Archimede si sia servito di un *udroskopeión* per risolvere il problema della corona resta sul piano delle congetture.

Tuttavia, proprio il testo del *Car-* *men de ponderibus et mensuris* riveste ai fini della nostra ricerca una particolare importanza. È oggi noto che il poema, almeno nella sua parte teorica, dipende strettamente dalle ricerche compiute da Menelao di Alessandria. Le poche notizie certe su Menelao si trovano nell' *Almagesto* di Claudio Tolomeo, che lo menziona per avere fatto osservazioni astronomiche a Roma al tempo dell'imperatore Traiano[15].

Menelao scrisse, tra le altre cose, la *Sphaerica,* un trattato di astronomia giuntoci nella traduzione fatta dagli Arabi e successivamente ritradotto in latino dall'astronomo britannico Edrnund Halley nel 1758[16]. Una lista di lavori attribuiti a Menelao si trova nel registro dei matematici, il *Fihrist* di Ibn-al-Nadim, redatto nella seconda metà del X secolo. Menelao fu un autore molto studiato dagli Arabi e anche i suoi tre libri di geometria vennero tradotti dal matematico Thabit ibn Qurra.

Il debito dell'autore del *Carmen de ponderibus et mensuris* nei confronti di Menelao di Alessandria è confermato anche dal riferimento alla bilancia «a cavaliere» di cui si sarebbe servito Archimede per risolvere il problema della corona.

Infatti, la descrizione di questo particolare tipo di bilancia ricorre anche in al Khazini, uno schiavo greco che in Persia, nell' anno 1121, scrisse il *Libro della bilancia del giudizio* dichiarando che Menelao di Alessandria costituiva la sua fonte principale. Il brano su Archimede riportato da al-Khazini è assai simile alla versione che si trova nei versi del *Carmen*[17].

In uno studio comparso nel 1989, K. Raios ha dimostrato come Menelao sia da considerare la fonte comune di entrambi questi lavori[18]; ma se Menelao è la fonte di entrambi, acquisiscono allora una straordinaria importanza, ai fini della nostra ricerca, i versi 103-110 del *Carmen de ponderibus et mensuris,* dove troviamo una precisa descrizione di un apparato destinato a *pondus spectare liquoris.*

Il dispositivo in questione non

viene definito, ma la descrizione e la funzione cui era destinato non lasciano dubbi sul fatto che doveva trattarsi esattamente del medesimo strumento menzionato nella lettera di Sinesio ad Ipazia e che, evidentemente, era già noto nella seconda metà del I secolo d.C.

Alla luce di queste considerazioni, acquista notevole interesse, inoltre, la notizia in base alla quale Menelao avrebbe scritto un trattato su un apparato per trovare le proporzioni all'interno di una lega. Ne sopravvive una versione araba nel codice Escorialensis 960, dove si legge che quest'opera venne presentata all'imperatore Domiziano in persona. Imperatore che, come è noto, aveva una particolare avversione per matematici e filosofi nei confronti dei quali arrivò a promulgare un provvedimento di espulsione da Roma. È possibile ipotizzare che, attraverso il recupero del celeberrimo episodio della corona di Archimede, Menelao volesse sponsorizzare le proprie ricerche e si rivolgesse direttamente all'imperatore: da una parte ricordandogli la disavventura del tiranno di Siracusa, defraudato da un artigiano e salvato da un matematico; dall'altra offrendogli un rimedio valido anche per affrontare la piaga, mai risolta in tutta la storia di Roma, della contraffazione delle monete, cui si sottraeva metallo prezioso che veniva tesaurizzato eventualmente sostituendolo con metallo grezzo.

Si prefigura quindi una situazione per cui Menelao di Alessandria sarebbe l'autore il cui perduto trattato sul modo di quantificare le diverse leghe di un metallo, avrebbe costituito la fonte principale sia per questa parte del *Carmen de ponderibus et mensuris,* che per il *Libro sulla bilancia del giudizio* di al-Khazini. A sua volta, Menelao di Alessandria avrebbe avuto come fonte principale proprio Archimede. D'altro canto, sappiamo che il Siracusano aveva scritto un trattato sulle bilance intitolato *Perí Zugón* oggi perduto, e non possiamo escludere che

proprio in questo testo egli si fosse occupato di questo argomento. Resta da dire che l'interesse di Menelao di Alessandria per l'areometro può essere letto anche in funzione delle osservazioni in materia di idrologia ben documentate a Roma da alcune fonti letterarie coeve[19].

Mentre i Greci non avevano dimostrato un particolare interesse per questo argomento, diverse osservazioni in merito si trovano nell'opera di Plinio il Vecchio e Lucio Anneo Seneca il naturalista. Nei primi decenni del I secolo d.C. Lucio Anneo Seneca (*Naturales Quaestiones,* 111, 20) aveva già classificato le acque in base al fatto che fossero stagnanti o correnti, dolci oppure amare, per colore, gusto e peso. Plinio il Vecchio dedica alla questione del peso maggiore attenzione. Egli era al corrente del fatto che le acque dolci sono considerate generalmente più leggere di quelle salate (*Naturalis Historia*, II, 224-225) e che la presenza dei sali gioca un ruolo determinante sul peso complessivo dell'acqua (*Naturalis Historia*, II, 226). Le acque dolci quando incontrano il mare restano in superficie ed esistono acque talmente salate da non fare andare a fondo nessun oggetto che vi si getti. Relativamente alle diverse caratteristiche delle acque, Plinio affronta il cosiddetto principio di Archimede (*Nturalis Historia*, II, 233) a partire dalle osservazioni relative ad un pezzo di bronzo oppure di stagno che, mentre in forma di pani affondano, ridotti in lamine sottili galleggiano. Anche Lucio Anneo Seneca aveva riflettuto su questo fenomeno (*Naturales Quaestiones*, 111, 25, 5): "È cosa nota che certi laghi mantengono a galla persone che non sanno nuotare: esisteva in Sicilia ed esiste tuttora in Siria un'acqua morta sulla quale galleggiano i mattoni e in cui gli oggetti che si buttano, per quanto siano pesanti, non possono affondare. La causa di questo fenomeno è chiara: prendi a caso un oggetto qualsiasi, pesalo e poi stabilisci un rapporto fra il suo peso e

quello dell'acqua, purché sia uguale il volume di tutti e due i corpi: se l'acqua è più pesante, essa porta sollevate le cose che sono più leggere di sé e quanto più saranno leggere tanto più le innalzerà sulla sua superficie; invece le cose più pesanti discenderanno. Ma se sarà uguale il peso dell'acqua e di quell'oggetto che peserai comparativamente, quest'ultimo non affonderà e non emergerà ma raggiungerà lo stesso livello dell'acqua e nuoterà sì, ma quasi completamente immerso, senza che alcuna sua parte sporga fuori".

Le osservazioni di Seneca sulle acque immobili erano note anche a Tacito il quale (*Historiae,* V, 6, 2) aveva avuto modo di osservare che «le acque immobili sostengono, come terraferma, gli oggetti che vi si buttano; che uno sappia o no nuotare, si tiene a galla ugualmente bene». E anche lo storico Giuseppe Flavio (*De bello Iudaico,* IV, 8, 4) racconta che l'imperatore Vespasiano si sarebbe voluto accertare personalmente di questo fatto, facendo gettare nel Mar Morto alcuni che non sapevano nuotare, con le mani legate dietro la schiena. Sarebbero tornati tutti in superficie come spinti verso l'alto da un potente soffio. A questo stesso episodio accenna, del resto, Galeno (*De simplicium medicamentorum temperamentis ac facultatibus,* IV, 20, ed. Kuhn, voI. XI, p. 690)[20].

Per quanto vaghi e scientificamente imprecisi possano essere, i citati passi di Lucio Anneo Seneca e Plinio testimoniano la precisa conoscenza della questione del diverso peso delle acque e del principio di Archimede, ciò che potrebbe essere indizio della diffusione, nella Roma di epoca alto imperiale, delle opere del Siracusano. Conoscenza che, d'altro canto, nel mondo romano dovette trarre giovamento dalla possibilità di trovare, raccolti in un *corpus* di cui è testimonianza in Vitruvio e Cassiodoro, almeno alcuni dei trattati scritti da Archimede[21].

Come abbiamo visto, Seneca e

Plinio fanno spesso riferimento alla questione del peso dell'acqua. A questo proposito, è proprio Plinio a dirci, in un passo sul quale conviene soffermarsi, come avvenisse questa valutazione. Infatti, (*Naturalis Historia*, XXXI, 23) Plinio dichiara che *quidam statera iudicant de salubritate frustrante diligentia, quando perrarum est ut levior sit aliqua*. A prescindere dal giudizio pliniano sulla inutilità di questa operazione, è interessante la prima parte di questa affermazione, in cui Plinio sostiene che "alcuni giudicano la salubrità dell'acqua con la stadera".

Dalla traduzione letteraria del passo pliniano deduciamo che il controllo del peso dell'acqua veniva eseguito con una *statera,* stadera, al cui utilizzo Plinio rimanda circa tre secoli prima che Sinesio scriva la lettera ad Ipazia. L'uso del vocabolo *statera* da parte di Plinio impone però alcune riflessioni, dal momento che la sua traduzione letteraria crea problemi in relazione all'operazione per la quale questo strumento avrebbe dovuto essere adoperato. D'altro canto, si è già avuto modo di osservare come i Latini, quando usano il vocabolo *statera,* normalmente indichino la bilancia a bracci uguali[22]. L'analisi delle fonti letterarie ha dimostrato come Vitruvio sia stato il solo autore ad impiegare questo termine per descrivere con notevole precisione lo strumento che oggi definiamo stadera, caratterizzato dall'asimmetria del giogo, dalla presenza di un solo piatto e di un piccolo peso scorrevole sulla parte più lunga dell'asta[23]. Lo stesso Vitruvio, tra l'altro, offre un'interessantissima e quanto mai precisa descrizione del funzionamento fisico della leva proprio a partire dalla stadera, in un brano in cui adopera il termine *momento* col senso che esso ha in fisica[24].

Tornando al nostro brano, è difficile immaginare che l'operazione descritta da Plinio potesse essere eseguita con una stadera oppure con una bilancia a bracci uguali.

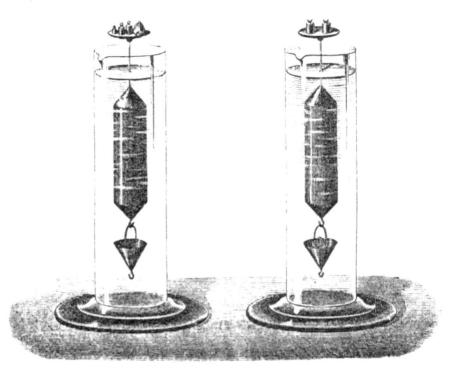

Fig. 2 – L'areometro a peso costante di Nicholson e Fahrenheit.

È più plausibile pensare, invece, che Plinio abbia adoperato il vocabolo *statera* per indicare un dispositivo differente, che pure era in grado di pesare effettivamente l'acqua per i fini desiderati, palesando in tal modo, ancora una volta, la nota imprecisione lessicale degli autori latini relativamente agli oggetti della tecnica. Appare quindi assai più probabile immaginare che Plinio stesse pensando al medesimo apparato citato e descritto da Sinesio a Ipazia, dandogli però il nome di *statera.* In conclusione, è certamente vero che sul principio del V secolo d.C. Sinesio chiede a Ipazia un areometro, che descrive accuratamente. Tuttavia, la teoria in base alla quale questo apparato funzionava era nota da tempo, essendo una applicazione pratica del principio di Archimede, la cui definizione risale alla seconda metà del III secolo a.C. Una chiara descrizione dell'areometro si trova nel *Carmen de ponderibus et mensuris*, scritto probabilmente nel IV secolo d.C., ma dipendente, in tutta la parte teorica, dall'astronomo e matematico Menelao di Alessandria, attivo sul finire del I

secolo d.C. a Roma. A Menelao, del resto, dobbiamo lo studio su un dispositivo per verificare le diverse leghe in un oggetto di metallo.

D'altro canto, precise testimonianze letterarie rendono conto di come gli antichi, almeno a partire dal medico Ippocrate attivo nel V secolo a.C., fossero consci dell'importanza di conoscere con esattezza il diverso peso delle acque. Plinio cita anche uno strumento col quale operare questa verifica, la *statera.* Si tratta però di un'operazione che con la stadera non è praticabile ed è probabile che Plinio adoperi tale termine per fare riferimento a un diverso apparato, che d'altro canto come bilance e stadere servisse a valutare il peso.

Mentre, dunque, la lettura di Plinio, Menelao e Seneca testimonia che l'areometro di cui avrà bisogno Sinesio era probabilmente già noto almeno nel corso del I secolo d.C., permangono dubbi sull'effettivo impiego dell'*udroskopeîon* da parte di Archimede, in particolare in relazione alla soluzione del celebre problema della corona.

Note

[1] Per le diverse interpretazioni del passo di Sinesio sull'areometro, GERLAND 1879.

[2] SINESIO, *Epistulae*, 15.1-11: Οὔτω πάνυ πέπραγα πονήρως, ὥστε ὑδροσκοπείου μοι δεῖ. ἐπίταζον αὐτὸ χαλκευθῆναί τε καὶ συνεωθῆναι. σωλήν ἐστι κυλινδρικός, αὐλοῦ καὶ σχῆμα καὶ μέγεθος ἔχων. οὗτος ἐπί τινος εὐθείας δέχεται τὰς κατατομάς, αἷς τῶν ὑδάτθν τὴν ῥοπὴν ἐξετάζομεν· ἐπιπωματίζει γὰρ αὐτὸν ἐκ θατέρου κῶνος κατὰ θέσιν ἴσην ἐγκείμενος, ὡς εἶναι κοινὴν βάσιν ἀμφοῖν, τοῦ τε κώνου καὶ τοῦ σωλῆνος. αὐτο δὴ τοῦτό ἐστι τὸ βαρύλλιον. ὅταν οὖν εἰς ὕδωρ καθῇς τὸν αὐλόν, ὀρθὸς ἐστήζει καὶ παρέξει σοι τὰς κατατομὰς ἀριθμεῖν· αἳ δὲ τῆς ῥοπῆς εἰσι γνωρίσματα. (in *Epistolographi Graeci*, éd. Didot, Paris, 1873, pp. 638-739).

[3] Nell'antichità classica il solo autore che utilizza questo termine è il meccanico Erone di Alessandria, nella *Pneumatica*, allorché descrive apparati nei quali si trova un piccolo peso. (HERO MECHANICUS, *Spiritalia*, I, 39; II, 4).

[4] Nato a Montevarchi, studiò a Firenze e, dopo aver preso i voti, si trasferì a Roma al seguito del cardinale Sacchetti. Nel 1636 cominciò a lavorare presso la Biblioteca Vaticana. Corrispondente di Galileo, morì di peste nel 1656. Durante la sua vita, Magiotti pubblicò uno studio intitolato *Renitenza dell'acqua alla compressione*, uscito nel 1648. Il testo ha una certa rilevanza perché attesta la virtuale incompressibilità dell'acqua ad una temperatura costante e la espansione e contrazione dell'aria e dell'acqua quando siano sottoposti a cambiamenti di temperatura. Lo sbaglio del Magiotti era quello di ritenere che la incompressibilità dell'acqua fosse assoluta.

[5] Studioso francese, si occupò di tecnologia applicata alla chimica. Il suo nome resta legato all'ideazione di un areometro. Effettuò numerose ricerche sulla comparazione delle diverse scale termometriche.

[6] L'areometro di Nicholson è un apparato galleggiante per la misura del peso specifico relativo di un corpo insolubile in acqua in alternativa al metodo basato sulla bilancia idrostatica. Merita osservare che lo strumento non ha altri usi oltre a quello appena menzionato, a differenza invece della bilancia idroatatica, con la quale si osserva anche la misura del volume di un corpo insolubile in acqua e la verifica del principio di Archimede. Lo strumento è formato da un cilindro cavo che termina con un cono zavorrato con del piombo. Appare chiara, in questo particolare, la somiglianza con lo strumento descritto da Sinesio a Ipazia. L'areometro di Nicholson e altri di questo tipo vengono definiti "a volume costante" e "a peso variabile", perché essi vengono sempre immersi fino a un certo punto prestabilito, aggiungendo poi dei pesi diversi a seconda dei solidi e dei liquidi impiegati nella verifica.

[7] Gabriel Daniel Fahrenheit nacque a Danzica nel 1686 e morì a l'Aia nel 1736. Particolarmente noto per aver costruito il primo termometro a mercurio nel 1714, mise a punto una scala termometrica che porta ancora il suo nome, attualmente in uso nei paesi anglosassoni. In virtù dei suoi studi, Fahrenheit è considerato il fondatore della termometria scientifica.

[8] BELLANI 1805, pp. 45-60. Angelo Bellani, studioso di fisica, effettuò ricerche sulla costruzione di termometri di precisione a mercurio, dei quali promosse l'industria in Italia.

[9] IPPOCRATE 1983, p. 236.

[10] ARCHIMEDE 1974, p. 519.

[11] VITRUVIO, IX, *praef.*, 9-12.

[12] LLOYD 1973, p. 47

[13] SANTINI-SCIVOLETTO 1992, pp. 725-727. Il testo è stato riprodotto anche da HULTSCH 1864-1866.

[14] DI PASQUALE 2004, pp. 316-328.

[15] TOLOMEO, *Almagesto*, VII, 3.

[16] Per Menelao di Alessandria si veda GILLESPIE – HOLMES 1981, IX-X, s.v. "*Menelaus*", pp. 296-302.

[17] Sulla diffusione dei trattati greci sulla *scientia de ponderibus* nel medioevo e presso la civiltà araba si veda CLAGETT 1962

[18] RAIOS 1989.

[19] Uno studio molto interessante sulle conoscenze in materia di idrologia da parte degli antichi è recentemente venuto alla luce a cura di F. Minonzio, che ha raccolto e editato i contributi sul tema portati da un gruppo di autorità del settore riunitesi in convegno a Cono nel 2002. Si veda quindi MINONZIO 2004. Tra i contributi più interessanti vi è proprio quello di F. Minonzio, che analizza le conoscenze in materia di idrologia degli antichi (MINONZIO 2004, pp. 33-63) e sottolinea come in L. A. Seneca e Plinio il Vecchio ricorra spesso l'importante questione della corretta valutazione del diverso peso delle acque.

[20] KUHN 1821-1833.

[21] VITRUVIO, VII, *praef*, 14, testimonia una versione latina di alcune opere di Archimede. Egli infatti accenna ad un *corpus* contenente le opere, oppure parte di esse, di diversi autori che si erano occupati di meccanica, tra cui Archimede. CASSIODORO, *Variae*, I, 45-4, invece, lascia intendere che dovevano essere state tradotte in latino le difficili opere di meccanica di Archimede.

[22] DI PASQUALE 2004, pp. 284-316.

[23] VITRUVIO, X, 8.

[24] GALLUZZI 1976, pp. 71-88.

BIBLIOGRAFIA

ARCHIMEDE 1974 = ARCHIMEDE. *Opere*, a cura di A. Frajese, Torino 1974.

BELLANI 1805 = A. BELLANI, *Descrizione dell'areometro universale a cilindro inventato dall'abate Angelo Bellani*, in «Annali di chimica e storia naturale, ovvero, Raccolta di memorie sulle scienze, arti e manifatture ad essa relative», XXII, 1805, pp. 45-60.

CLAGETT 1962 = M. CLAGETT, *La scienza della meccanica nel medioevo*, Milano 1962.

DI PASQUALE 2004 = G. DI PASQUALE, *Tecnologia e meccanica. Trasmissione dei saperi tecnici dall'età ellenistica al mondo romano*, Firenze, 2004.

GALLUZZI 1976 = P. GALLUZZI, *A proposito di un errore dei traduttori di Vitruvio nel '500*, in «Annali dell'Istituto e Museo di Storia della Scienza di Firenze», I, fasc. 2, pp. 71-88.

GERLAND 1879 = E. GERLAND, *Sulla storia dell'invenzione dell'aereometro*, traduzione dal tedesco del dr. Alfonso Sparagna, in «Bullettino di bibliografia e di storia delle scienze matematiche e fisiche», XII, 1879, pp. 881-885.

GILLESPIE - HOLMES 1981 = CH. GILLESPIE - F. HOLMES, *Dictionary of scientific biography*, New York 1981.

HULTSCH 1864-1866 = F. HULTSCH, *Metrologicorum scriptorum reliquae*, Lipsiae 1864-1866, pp. 88-100.

KUHN 1821-1833 = G. C. KUHN, *Claudii Galeni Opera omnia*, Reprographischer Nachdr. der Ausg. Leipzig 1821-1833; Hildesheim 1964-65.

IPPOCRATE 1983 = IPPOCRATE. *Testi di medicina greca*, introduzione di V. Di Benedetto, premessa, traduzione e note di A. Lami, Milano 1983.

LLOYD 1973 = G. LLOYD, *Greek science afler Aristotle*, New York 1973, p. 47.

MINONZIO 2004 = F. MINONZIO, *Problemi di macchinismo in ambito romano. Macchine idrauliche nella letteratura tecnica, nelle fonti storiografiche e nelle evidenze archeologiche di età imperiale*, a cura di F. Minonzio, Como 2004.

RAIOS 1989 = K. RAIOS, *Archimède, Ménélaos d'Alexandrie et le «Carmen de ponderibus et mensuris». Contributions à l'histoire des sciences*, Jannina 1989.

SANTINI - SCIVOLETTO 1992 = C. SANTINI-N. SCIVOLETTO, *Prefazioni, prologhi, proemi di opere tecnico scientifiche latine*, Roma 1992, pp. 725-727.

Due probabili raffigurazioni del pagamento del *Metallicus Canon*

di
Fabrizio Paolucci

ABSTRACT

An engraved glass plate of the IV century A.D., once in the Gualdi collection and now lost but known from XVII's drawings, preserves a rare iconography representing a high imperial civil employee with the family and, in the inferior part, a complex scene of weighing.

This scene consists of a man who is putting heavy bars on a plate of a big balance. On the opposite side a civil employee is checking the exactitude of the weight placing some weights on the second plate of the instrument.

Big balances similar to the one represented on the plate are found also in other monuments of roman age; probably in these instruments we can recognize the populares trutinae *of which Cicero speaks. These were big balances used in order to verify the correspondence of a quantitative of goods to a prefixed weight. With such function we find a trutina also on the monument of Eurysace: on one of the plates of the balance is represented the bread destined to the sale while on the other one some weights are placed in order to verify the correspondence of the product to the prefixed amount.*

In the case of the glass plate the use of a trutina *serves the same purpose: thanks to the comparison with other roman monuments (like a relief form Augst datable to the imperial age), we can identify the bars with metallic ingots.*

The iconography of the engraved plate occurs also on an African mosaic dating in the first half of the III century A.D.: basing on all these occurrences the author proposes to recognize in this scene the payment of metal which was due to the State from the private conductors of mines.

This tax was established already by the lex metalli Vipsacensis *of Hadrian's age. Such prescriptions confirmed again by the edicts of 382 and 384 A.D., were meant to fix the deposit of the tithe (the* metallicus canon*) to the State treasury under the supervision of one of the highest exponents of the imperial comitatus: the* Comes sacrarum largitionum. *Therefore, it there is the legitimate doubt that the civil employee represented on the Gualdi plate is just a* Comes Sacrarum Largitionum, *accompanied from the representation of one of its main tasks: the control on the quantitative of crude minerals due to the State from the private managers of the mines.*

Nel mondo tardo antico le arti suntuarie, cioè quelle produzioni artigianali che si servivano di supporti pregiati come l'avorio o l'argento, raggiunsero ineguagliati livelli di perfezione formale, divenendo veicoli ideali per diffondere complessi messaggi ideologici e politici. Nei dittici eburnei[1] o nei missoria argentei[2], le *élites* sociali rappresentavano, infatti, la loro visione del mondo, spesso rivolta a un passato mitizzato, i loro ideali e la propria predilezione per uno stile aristocratico e manierato. È proprio nei complessi rituali sociali dell'alta burocrazia imperiale, del resto, che questi oggetti trovavano il loro utilizzo, divenendo potenti strumenti di propaganda di eventi quali l'avve-

nuta nomina a console, oppure i festeggiamenti per le ricorrenze di regno di un imperatore.

Fra i materiali utilizzati dall'arte suntuaria dell'epoca per la realizzazione di queste pregiate opere, prive di qualsiasi utilizzo pratico e destinate ad avere un valore puramente simbolico, può stupire trovare un supporto vile come il vetro. Eppure, oggi, possiamo affermare che fra le espressioni più originali e preziose dell'arte suntuaria tardo antica, figuravano i vetri incisi, noti nel mondo romano col termine di origine greca *diatreta*[3]. Si trattava di coppe, piatti o più raramente, bottiglie, decorati ad incisione con procedimenti mutuati dalla glittica ed istoriati con scene talora comples-

se estese all'intera superficie del contenitore[4]. Come è facile intuire, l'incisione a freddo del vetro, mediante mole o strumenti a punta dura, rendeva questa tecnica di decorazione, un'arte virtuosistica, padroneggiata pienamente solo da pochi, abili maestri. Con un procedimento inverso a quello delle altre produzioni artistiche, nel caso dei *diatreta*, non era quindi il supporto pregiato a determinare il grande valore dell'oggetto, bensì era la tecnica artigianale utilizzata a rendere un materiale di poco valore come il vetro, prezioso come l'oro. Sul grande pregio economico di questi oggetti, le fonti antiche sono concordi[5]. È sufficiente ricordare la testimonianza di Clemente Ales-

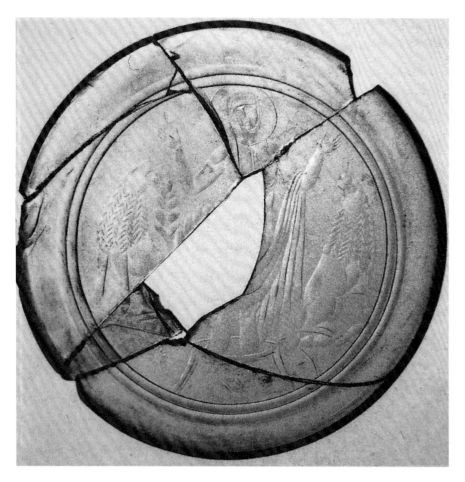

Fig. 1 – *Piatto inciso con Daniele nella fossa dei leoni – Portogruaro, Museo Nazionale Concordiese (da* ROTTLOF *2001).*

Fig. 2 – *Disegno del piatto vitreo perduto, un tempo nella collezione Gualdi - Biblioteca reale del Castello di Windsor (da* CARON *1993 b).*

sandrino, che, in un elenco di oggetti interdetti al buon cristiano in cui compaiono anche gli avori e gli argenti, inserisce a pieno titolo anche i vetri incisi[6].

Una conferma di questa destinazione elitaria dei vetri incisi viene anche dalle iconografie adottate su questi fragili contenitori. Infatti sui *diatreta* non troviamo solo generiche scene di caccia, allusive all'*otium* per eccellenza dell'aristocrazia dell'epoca, ma anche motivi più originali che hanno i loro diretti confronti proprio nella classe dei grandi piatti argentei. È questo, ad esempio, il caso di un celebre frammento dall'Esquilino[7] che raffigura i festeggiamenti per i *vicennalia* dell'imperatore Graziano del 382 d.C., una splendida opera che ripete immutata l'iconografia del piatto argenteo di Teodosio, oggi a Madrid, posteriore solo di otto anni[8]. Stesse osservazioni sono possibili anche per un secondo frammento di piatto inciso, conservato nel Museo della *Crypta Balbi*, che raffigura Aurelio Simmaco console ordinario (391 d.C.)[9] fiancheggiato dal figlio, in uno schema che ritroviamo identico sul piatto argenteo del console Ardabur (434 d.C.), conservato nel Museo Archeologico di Firenze[10]. È, quindi, perfettamente plausibile concludere che se questi oggetti in vetro condividono l'iconografia di piatti argentei legati alle *largitiones* imperiali e consolari, ne avranno condiviso anche la stessa destinazione e la stessa funzione di oggetti di rappresentanza e propaganda.

Nel IV secolo d.C., Roma fu senz'altro il centro dell'arte dell'incisione sul vetro. Qui lavorarono prolifiche botteghe che, seguendo il modello stilistico indicato da un maestro[11], realizzavano prodotti destinati sia alla committenza privata che imperiale. Da un'analisi sistematica dei frammenti dei vetri incisi giunti fino a noi è addirittura possibile, utilizzando criteri di analisi formale e servendosi del riconoscimento di motivi firma, individuare alcuni gruppi dalle caratteristiche coerenti riferibili, probabilmente, a uno stesso artigiano. Uno dei nuclei più numeroso è quello costituito dai vetri attribuiti alla mano del cosiddetto "Maestro di Daniele", un maestro diatretario dal disegno potente e dall'incisione profonda, capace di conferire tridimensionalità e plasticità alla sua opera[12]. Nessuno, fra gli oltre trenta vetri a lui attribuiti, proviene da sicuri contesti stratigrafici ed è solo sulla base dell'analisi delle iconografie adottate che è stato possibile giungere a circoscrivere la sua attività nel IV secolo avanzato, molto probabilmente nel trentennio compreso fra il 360 e il 390 d.C. L'originalità di questo artigiano, il cui nome convenzionale deriva dal soggetto di una coppa da Portogruaro raffigurante Daniele tra i leoni (fig. 1)[13], è tale da aver consentito di riconoscerne la mano anche in un piatto vitreo purtroppo perduto, ma noto da due disegni seicenteschi, oggi, rispettivamente, nella biblioteca reale del Castello di Windsor (fig. 2) e presso la Biblioteca Vaticana (fig. 3)[14]. Le due riproduzioni, di cui quella al Vaticano corredata da una didascalia che descrive il piatto come fatto di vetro e conservato presso la collezione Gualdi a Roma, sono fra loro pressoché identiche, se si eccettua alcune differenze nella resa di alcuni personaggi minori al centro, la cui lettura era, forse, resa difficile dal non buono stato di conservazione della superficie[15].

Come appare evidente anche ad una prima occhiata, il piatto vitreo doveva appartenere al gruppo dei vetri incisi legati alla celebrazione di qualche importante personaggio del *comitatus* imperiale. Al centro, riprodotto in assoluta frontalità e in ossequienza ai principi della prospettiva gerarchica tardo antica, domina il gruppo costituito dal *dominus*, a destra, e dalla moglie. L'uomo, vestito di tunica ornata di *clavi* e di un manto che lascia scoperti i fianchi, porta la mano al petto con le dita atteggiate nel gesto dell'*adlocutio*, mentre la donna,

Fig. 3 – Disegno del piatto vitreo perduto, un tempo nella collezione Gualdi - Biblioteca Vaticana (da CARON 1993 b).

dalla complessa acconciatura a turbante, stringe con la sinistra, un fazzoletto[16]. La coppia è accompagnata dai figli, un maschio sulla destra, e una femmina, a sinistra. Il ragazzo, vestito come il padre, stringe in mano un dittico aperto secondo un'iconografia che ben conosciamo dagli avori a indicare che egli è già stato investito di qualche incarico ufficiale[17]. Fra i quattro geni stagionali, posti ad intervallare le figure della famiglia del committente, solo per quelli posti alle estremità, cioè l'inverno (a destra) e l'estate (a sinistra), si può essere ragionevolmente sicuri. Più incerta è la ricostruzione dei due geni centrali, la cui diversa resa nei due disegni è spia di una cattiva conservazione dell'originale. Due amorini incensieri, posti ai lati della coppia, completano la composizione del registro superiore.

In basso, al di sotto di una cornice campita con un motivo ad on-

de e stelle ben noto anche in altri vetri incisi del Maestro di Daniele[18], compare, invece, una singolare scena, che ricorre pressoché immutata nei due disegni. Da destra avanzano due cavalli carichi di lunghe barre disposte sui fianchi. I due animali, ognuno dei quali è incitato da un inserviente con la frusta, si muovono verso un uomo, vestito di corta tunica cinta in vita, che carica le barre su un piatto di una grande bilancia. Dalla parte opposta, un secondo personaggio, vestito di tunica manicata e manto, protende la mano verso il piatto dinanzi a lui. Dietro l'uomo, una colonna tortile sormontata da una cupoletta allude sinteticamente alla presenza di un edificio.

La scena, indubbiamente, doveva servire a qualificare la carica del personaggio raffigurato nel registro superiore, mostrando un'attività che rientrava nella sfera di competenza del suo ufficio. Proprio la singola-

Fig. 4 – Particolare del monumento di M. Vergilius Eurysaces (da CORTI 2001b).

rità dell'iconografia adottata, ha però, dato adito a interpretazioni controverse, che, inevitabilmente, si riflettono anche sulla corretta identificazione del committente. Caron ha proposto di riconoscere nell'uomo al centro del gruppo di famiglia del registro superiore, un *praefectus annonae*, sviluppando un'intuizione che già era stata formulata da Waltzing[19]. Tale interpretazione si basava sulla lettura proposta per il registro inferiore, dove veniva riconosciuta una scena di trasporto e di pesatura del grano effettuata dai *mensores machinarii frumenti publici*. L'impossibilità di una simile esegesi appare facilmente dimostrabile. I cavalli che portano la merce da pesare non trasportano sacchi, ceste, anfore o un qualsiasi tipo di contenitore adatto a contenere granaglie, bensì degli oggetti lunghi e di forma rettangolare, distribuiti sui due fianchi dell'animale. Oggetti lunghi e rettangolari sono anche quelli che l'inserviente scarica e depone sul piatto della grande bilancia. Lo stesso uso di una bilancia, inoltre, è di per se stesso incompatibile con il pro-

cesso di pesatura del grano, come peraltro rileva anche lo stesso Caron; le granaglie, infatti, non venivano pesate, bensì la loro quantità era misurata versando il grano in un contenitore, il *modius*, la cui capacità era esattamente corrispondente all'unità di misura fissata per legge dal *praefectus annonae*[20]. La bilancia, che troviamo raffigurata sul piatto e in altri monumenti di età romana, è, invece, da identificare con la *"populari trutina"* di cui parla Cicerone[21]. Nel passo citato, infatti, l'autore contrappone alle "stadere" degli orafi, proprio le *trutinae* che, per la loro dimensione, sono adatte al mercato e, quindi, concepite per la pesa di oggetti di grandi dimensioni[22].

Dal momento che gli strumenti comunemente utilizzati dagli orafi e sovente raffigurati su monumenti funerari e affreschi sono delle piccole bilance a bracci uguali[23], è logico concludere che le *trutinae* siano la versione su grande scala delle "stadere" degli orafi[24].

L'utilizzo di un termine come stadera per la versione della bilancia

a bracci uguali usata dagli orafi non deve sorprendere, poiché, in latino, non esiste una rigorosa corrispondenza fra termine e strumento. Così per indicare la bilancia a bracci uguali, possiamo trovare, come giustamente rilevato da G. di Pasquale[25], termini come stadera, *libra* o, a partire dall'età imperiale, *bilanx*.

L'utilizzo di queste enormi bilance per la pesa di grandi quantitativi è noto anche dal celebre rilievo del monumento di *M. Vergilius Eurysaces* (fig. 4). In questo caso lo strumento, identico nelle fattezze a quello di età tardo antica, è utilizzato in una fase del processo di lavorazione del pane all'interno dell'industria del *redemptor* Eurysace. Sotto gli occhi del proprietario, infatti, sono collocate, su un piatto, ceste colme di pane, mentre sull'altro sono posti dei pesi, probabilmente in pietra[26]. La pesatura, il cui risultato è accuratamente annotato dallo stesso Eurysace, è probabilmente finalizzata al controllo della rispondenza del peso del pane prodotto ai quantitativi ordinati. È, quindi, fuor di dubbio che questo strumento, molto probabilmente realizzato in metallo per resistere alla sollecitazione dei grandi pesi, fosse essenzialmente legato a procedimenti di verifica del peso rispetto a parametri prefissati, rappresentati da contrappesi in metallo o, più spesso, in pietra[27], deposti su uno dei piatti[28].

Queste considerazioni impongono, quindi, una diversa chiave di lettura della scena del piatto Gualdi. A tal fine, un confronto illuminante è fornito da un mosaico di Sousse della metà del III secolo d.C. (fig. 5)[29].

Qui è rappresentato il trasporto a terra da una nave di oggetti lunghi e rettangolari, del tutto simili a quelli presenti sul vetro, che vengono poi pesati su una bilancia[30]. L'intera scena della pesatura, del resto, con l'inserviente che depone su uno dei due piatti gli oggetti, sotto lo sguardo di un funzionario, ricorre immutata nelle due opere. Anche nel caso del mosaico africano, che ornava l'interno di una tomba, la scelta dell'episodio raffigurato con tanta

cura doveva offrire al visitatore una chiave immediatamente decodificabile per conoscere il mestiere che l'uomo aveva fatto in vita. Sarebbe, però, probabilmente semplicistico riconoscere nel funzionario a lato della bilancia, il defunto. Molto probabilmente, come nel piatto inciso, il mosaico illustra un'attività, la più importante indubbiamente, che ricadeva nelle competenze professionali dell'uomo.

Per tentare di avanzare un'ipotesi sulla carica che il proprietario della tomba di Sousse ricopriva, passaggio necessario per tentare di conoscere l'identità del funzionario raffigurato sul piatto Gualdi, è necessario tornare a leggere la scena raffigurata sul mosaico. Che gli oggetti scaricati dalla nave siano pesanti ce lo dice non solo il fatto che gli uomini scaricano le barre poche per volta, appoggiandole alla spalla con evidente sforzo, ma anche il fatto che la bilancia, alta più di un uomo, è stata rinforzata con due sostegni laterali che si appoggiano al fulcro centrale. Qui il funzionario, vestito di

lunga tunica ornata di *clavi*, protende la mano verso uno dei piatti, dove è riconoscibile un oggetto di forma cubica. Sull'altro piatto si trova, invece, una barra, alla quale il secondo personaggio, sta per aggiungerne un'altra, nel tentativo di riportare in equilibrio il braccio della bilancia, ancora inclinato dalla parte del funzionario.

Sembra perfettamente plausibile, quindi, concludere che l'uomo appena sbarcato stia consegnando al funzionario una parte del carico in ragione di un quantitativo prefissato, rappresentato dal contrappeso cubico che il funzionario ha posto sul piatto. Come giustamente osservato da chi per primo ha pubblicato il mosaico africano[31], nelle barre dovranno essere riconosciuti dei lingotti di metallo, forse piombo. L'utilizzo di grandi *trutinae* per la pesatura dei lingotti è, del resto, confermato anche da un rilievo di epoca medio imperiale da Augst[32]. In quel caso, infatti, sono chiaramente riconoscibili, su uno dei piatti, quattro file di lingotti accu-

Fig. 5 – *Mosaico da Sousse con scena di pesatura di lingotti databile alla metà del III sec. D. C. (da* DUMBABIN *1978).*

ratamente disposti e, sull'altro, un contrappeso di forma emisferica simile ad esemplari litici e bronzei frequentemente attestati in età romana[33]. Una volta dimostrata l'ipotesi che gli oggetti al centro della transazione raffigurata sul mosaico tunisino siano lingotti, impossibile dire se piombo o altro, una plausibile interpretazione della scena potrebbe essere quella di un pagamento della tassa che i *conductores* privati di miniere dovevano allo Stato. La *lex metalli Vipascensis*, dell'età di Adriano nota grazie a due tavolette di bronzo rinvenute a Aljustrel[34], in Portogallo, stabiliva, infatti, che il costo per lo sfruttamento da parte dei privati delle miniere, per il diritto romano appartenenti di fatto allo Stato, fosse corrisposto in una quota del prodotto. Spettava poi al *procurator metallorum*[35], un funzionario che aveva giurisdizione su un intero distretto minerario, far sì che tale affitto fosse versato allo Stato nei tempi e nella quantità prevista. Sulla base di tale giurisdizione, rimasta immutata sino in età tardo antica, sembra quindi lecito riconoscere nell'uomo della tomba di Sousse proprio un *procurator metallorum* che, attraverso la raffigurazione della scena di verifica della tassa dovuta allo Stato dai *conductores* privati delle miniere, viene rappresentato in una delle incombenze più importanti del suo ruolo[36].

La scena inferiore del piatto Gualdi ci ripropone, come già anticipato, esattamente lo stesso schema iconografico. Anche qui giungono, evidentemente da lontano, dei lingotti di metallo molto pesanti, tanto da dover essere accuratamente bilanciati sul basto del cavallo, e anche qui un uomo pone dei lingotti sul piatto della bilancia che, proprio come nel mosaico africano, è raffigurata leggermente sbilanciata dalla parte del funzionario. È evidente che la ripresa puntuale dello stesso schema iconografico presupponga un'analoga esegesi: il funzionario verifica la corrispondenza del peso dei lingotti consegnati a un quantitativo previsto dalla legge. Non è forse un caso che proprio gli anni compresi fra il 360 e il 380 d.C., periodo di attività del Maestro di Daniele, videro una radicale revisione della legislazione relativa allo sfruttamento delle miniere. Una costituzione imperiale del 365 d.C.[37] garantiva una maggiore libertà ai privati che volessero aprire una miniera, introducendo anche il principio del diritto di prelazione dello Stato per l'acquisto del prodotto estratto. Altre due leggi, rispettivamente del 382[38] e del 384[39], definiscono, invece, il quantitativo delle quote da versare allo Stato per tutti metalli (il *metallicus canon* secondo la definizione giuridica del *Codex Theodosianus*), stabilendo che un decimo del materiale estratto fosse dovuto al fisco, mentre un decimo spettava al proprietario del terreno della miniera. Ai nostri fini è interessante rilevare come il destinatario di tutte queste costituzioni imperiali sia sempre il *Comes Sacrarum Largitionum*, uno dei massimi esponenti del *comitatus* imperiale, sotto la cui giurisdizione rientrava l'intera gestione delle miniere, compreso anche il compito di far rispettare l'obbligo di ereditarietà del mestiere di minatore[40]. Diretta conseguenza di questa competenza sull'attività estrattiva era anche il controllo delle zecche, oltre a quello sull'attività dei *barbaricarii* e degli *argentarii* che lavoravano al servizio dello Stato[41]. Si pone, quindi, il legittimo dubbio se il funzionario rappresentato sul piatto Gualdi non sia proprio un *Comes Sacrarum Largitionum*, accompagnato dalla raffigurazione di una delle sue principali incombenze, cioè il controllo sul quantitativo di minerali grezzi dovuti allo Stato dai gestori privati delle miniere. L'importanza del supporto utilizzato, un piatto di vetro inciso che, come già osservato, è strettamente legato alle *largitiones* delle più alte cariche dello Stato, imperatore compreso, sembra escludere la possibilità che si tratti di un funzionario di rango minore, considerato anche il fatto che le fonti giuridiche non nominano altri responsabili alla riscossione delle decime se non il *Comes Sacrarum Largitionum*. Forse fu proprio l'avvenuta nomina a questo importante incarico ad offrire l'occasione per la realizzazione del piatto, nel quale il *Comes* si fa rappresentare circondato dai geni stagionali[42] per alludere, probabilmente, alla fecondità inesauribile della natura, dalla quale, al pari dei frutti della terra, derivano anche i pregiati metalli.

NOTE

[1] Sui dittici eburnei si veda VOLBACH 1976; SENA CHIESA 1990, p. 338 e, da ultimo BERTELLI 2003, pp. 173-178 con la bibliografia precedente.

[2] Sui grandi piatti argentei legati alle *largitiones* tardo antiche si veda STRONG 1966, pp. 199-201; BARATTE 1987, p. 15; SENA CHIESA 1990, pp. 335-336; PIRZIO BIROLI STEFANELLI 1990, pp. 90-92.

[3] Per le prime attestazioni del termine latino e per la sua origine si veda PAOLUCCI 1997, p. 27

[4] Per una panoramica su questa classe si veda MASSABÒ - PAOLUCCI 2003, pp. 183-188, con bibliografia precedente.

[5] Per una rassegna delle fonti antiche relative al vetro inciso cfr. PAOLUCCI 1997, pp. 27-28.

[6] CLEMENTE ALESSANDRINO, *Paedagogus*, II.3. 35.3.1.

[7] Cfr. HARDEN 1988, pp. 223-224, n. 124; TEDESCHI 1991-92, pp. 33-50.

[8] Cfr. PIRZIO BIROLI STEFANELLI 1990, p. 308, n. 196, fig. 245 con bibliografia precedente.

[9] ARENA - DELOGU - PAROLI - RICCI - SAGUI' - VENDITELI 2001, pp. 168-170, n. I.2.1.

[10] CYGELMAN 1990, p. 17, n. 235.

[11] Sulla questione della possibilità di identificazione di botteghe o mani si veda PAOLUCCI 1997, pp. 19-20.

[12] La denominazione convenzionale di "Maestro di Daniele" fu introdotta da Barovier Mentasti (BAROVIER MENTASTI 1983) e, successivamente ripresa dagli altri autori che si sono occupati di questa produzione (CARON 1993a; LARESE 2000; PAOLUCCI 2002, pp. 29-53). Di recente (ROTTLOF 2001), è stata proposta una diversa lettura dei vetri riconducibili a questo ipotetico maestro, arrivando a ipotizzare un atelier denominato di Bellerofonte da una coppa con tale soggetto da Augst, cui sarebbe da riferire un nucleo di pezzi (oltre 101) ben superiore a quello comunemente accettato. Tale lettura si fonda sull'assunto che, nell'ambito di questa classe, sia possibile distinguere non tanto singole mani di incisori, bensì generali caratteri riconducibili a tradizioni di bottega tramandate dal maestro agli allievi. La chiave di lettura, indubbiamente di grande interesse, è stata applicata anche ad altri gruppi di vetri incisi, arrivando ad indicare, oltre all'atelier di Bellerofonte, altre quattro botteghe principali. Riservandoci di tornare in altra sede su tale argomento, preme, adesso, sottolineare che la produzione dell'atelier di Bellerofonte, nel quale rientrano tutti i vetri generalmente riferiti al "maestro di Daniele", viene, dalla studiosa tedesca, riferita sempre all'ultimo trentennio del IV secolo d.C. (ROTTLOF 2001 p. 142).

[13] BAROVIER MANTASTI 1983, coll. 157-172.

[14] Il disegno (f. 79, n. 8483) oggi nella biblioteca reale del castello di Windsor proviene dalla collezione Dal Pozzo-Albani, mentre il disegno conservato presso la biblioteca Vaticana (Codex Vaticanus 9136, f. 217) faceva parte degli archivi di Monsignor Suares (CARON 1993 b tav. 2).

[15] Il disegno, oggi alla Biblioteca Vaticana e un tempo nella collezione Dal Pozzo-Albani, è quello che forse restituisce con maggiore fedeltà e cura l'originale.

[16] Questo attributo, ignoto nell'iconografia femminile dell'epoca, molto probabilmente, era in origine solo il lembo del manto avvolto intorno all'avambraccio, che il disegnatore, forse per il cattivo stato di conservazione dell'incisione, ha reinterpretato come una mappa.

[17] Soggetto analogo ritroviamo, ad esempio, nel dittico di Stilicone (cfr. VOLBACH 1976, p. 55, n. 63, tav. 35).

[18] Fra i vetri ricondotti alla bottega del "maestro di Daniele" uno schema decorativo analogo, con una cornice identica a quella del piatto Gualdi posta a separare il campo figurativo più ampio da un registro inferiore, si ritrova, ad esempio, in un piatto frammentario da Falerone (LARESE 2000 p. 119 fig. 2). Un identico motivo è utilizzato anche con cornice anche in un piatto con la raffigurazione di Bellerofonte su un piatto da Augst (ROTTLOF 2001, pp. 123 e segg. figg. 1a e 1b) e su una coppa frammentaria dal Palatino (STERNINI 1995, p. 247, figg. 2-3).

[19] WALTZING 1895-1900, vol. II, p. 64.

[20] Cfr. DACL, s.v. Annone, figg. 773, 774, 775; BECATTI 1961, pp.33-35, n.58, tav. CLXXXVIII.

[21] CICERONE, *De Oratore*, II, 38.

[22] Per le bilance a braccia uguali, il cui uso è attestato già nell'Egitto del II millennio a.C. , si vedano TARPINI 2001, pp. 180-184 e più di recente, con sistematica analisi delle fonti letterarie e iconografiche DI PASQUALE 2004, pp. 284-316.

[23] Cfr. CORTI 2001a, pp. 151-152, figg. 85-87.

[24] Anche Isidoro (*De ponderibus*, IV) definisce *trutina* la bilancia a bracci uguali di grandi dimensioni, contrapposta alle versioni più piccole del medesimo strumento, dall'autore definite *momentanae*, perché utilizzate per la verifica del peso delle monete.

[25] DI PASQUALE 2004 pp. 284-316.

[26] CORTI 2001a, pp. 162-163; TARPINI 2001, p. 180, fig. 109.

[27] Per una panoramica sui contrappesi utilizzati in età romana cfr. CORTI 2001 b, pp. 191-211.

[28] Chiara, in questo senso, è la raffigurazione su un vetro inciso di tardo IV secolo d.C., dove la pesatura del corpo di Ettore restituito a Priamo avviene proprio con una grande bilancia che, su un piatto reca il corpo riverso dell'eroe troiano, mentre nell'altro il padre versa l'oro necessario a far tornare in equilibrio i bracci della bilancia (HARDEN 1988, pp. 216-217, n. 120).

[29] DUMBABIN 1978, n.21, p.270, tavv.XLVIII, fig.121; cfr. WEITZMANN 1978, n. 260, p. 282.

[30] Scena assai simile ricorre anche in un affresco della Casa del Larario di Pompei, dove troviamo raffigurata una scena di trasporto fluviale e, a riva, due personaggi intenti a misurare su una grande bilancia grossi quantitativi di una merce contenuta in ceste, molto probabilmente olive. L'episodio è probabilmente da leggersi come antecedente alla partenza della nave, raffigurata in basso, ed è, quindi, allusivo all'attività di pesatura del carico prima dell'imbarco (CORTI 2001 a, pp. 144-145, fig. 77).

[31] FOUCHER 1960, p. 78.

[32] Cfr. MUTZ 1983 foto di copertina.

[33] Cfr. CORTI 2001 b p. 197, fig. 124.

[34] Cfr. DAVIES 1979, pp. 12-13; HEALY 1978, pp. 129-130; CAMPANELLI 1989, pp. 142-143.

[35] Per le competenze del *procurator metallorum* si veda HEALY 1978, p. 130; BLÁSQUEZ MARTINEZ 1989, pp. 123-124; CAMPANELLI 1989, pp. 141-143.

[36] La mancanza di dati relativi a un'attività estrattiva di età romana in Africa (escludendo ovviamente i marmi) non inficia tale ipotesi. È possibile, infatti, che il defunto, di cui ignoriamo nome e *cursus honorum*, possa aver ricoperto la carica di *procurator*, che a partire dagli inizi del III secolo d.C. è prevalentemente di rango equestre (BLÁSQUEZ MARTINEZ 1989, pp. 124-125), anche in province diverse da quella nella quale è stato poi sepolto.

[37] CODEX THEODOSIANUS, X ,19, 4.

[38] CODEX THEODOSIANUS, X ,19, 10.

[39] CODEX THEODOSIANUS, X ,19, 11.

[40] CODEX THEODOSIANUS, X ,19, 15.

[41] Per le competenze del *Comes Sacrarum Largitionum* si veda RE s.v. *Comes Sacrarum Largitionum*, coll.671-674; KENT-DODD 1961.

[42] Per le raffigurazioni dei Genii stagionali e il loro significato allegorico nell'arte romana si veda KRANZ 1984, pp.97-98.

BIBLIOGRAFIA

ARENA - DELOGU - PAROLI - RICCI - SAGUI' - VENDITELI 2001 = ARENA M.S. - DELOGU L. - PAROLI L. - RICCI M.- SAGUI' L. - VENDITELI L., *Roma dall'Antichità al Medioevo. Archeologia e Storia nel Museo Nazionale Romano. Cripta Balbi*, Roma 2001.

BARATTE 1987 = F. BARATTE, *Il tesoro nascosto. Le argenterie imperiali di Kaiseraugst*, Roma 1987.

BAROVIER MENTASTI 1983 = R. BAROVIER MENTASTI, *La coppa incisa con Daniele nella fossa dei leoni*, in *AquilNost*, 54, 1983, coll.157-172.

BECATTI 1961 = G. BECATTI (a cura di), *Scavi di Ostia. Mosaici e pavimenti marmorei*, vol. IV, Roma 1961.

BERTELLI 2003 = C. BERTELLI, *Gli avori tardo antichi*, in "*387 d.C. Ambrogio e Agostino. Le sorgenti dell'Europa*", a cura di P. Pasini, Milano 2003, pp. 173-178.

BLÁSQUEZ MARTINEZ 1989 = J. M. BLÁSQUEZ MARTINEZ, *Administracion de los minas en epoca romana*, in "*Mineria y Metalurgia en las antiguas civilizaciones mediteraneas y europeas. Colloquio Internacional*", voll. I-II, Madrid, 1989, pp. 119-132.

CAMPANELLI 1989 = D. CAMPANELLI, *Aspetti dell'amministrazione mineraria iberica nell'età del Principato*, in "*Mineria y Metalurgia en las antiguas civilizaciones mediteraneas y europeas. Colloquio Internacional*" (Madrid 1985), voll. I-II, Madrid, 1989, pp. 138-147.

CARON 1993 a = B. CARON, *A Roman Figure-Engraved Glass Bowl*, in *MetrMusJ*, 28 (1993), pp. 47-55.

CARON 1993 b = B.CARON, *Note sur deux dessin représentant un verre gravé*, in *EchosCl*, 28 (1993), pp. 349-365.

CORTI 2001a = C. CORTI, *Pesi e misure nei commerci, arti, mestieri e professioni*, in *Pondera. Pesi e misure nell'antichità*, a cura di C. Corti - N. Giordani, Modena 2001, pp. 143-166.

CORTI 2001b = C. CORTI, *Pesi e contrappesi*, in *Pondera. Pesi e misure nell'antichità*, a cura di C. Corti - N. Giordani, Modena 2001, pp. 191-212.

CYGELMAN 1990 = M. CYGELMAN, *Ori e argenti nelle collezioni del Museo Archeologico di Firenze*, Firenze 1990.

DACL 1877-1919 = *Dictionnaire Des Antiquités grecques et romaines*, a cura di M. C. Daremberg - E. Saglio, Paris 1877-1917.

DAVIES 1979 = O. DAVIES, *Roman Mines in Europe*, New York 1979.

DI PASQUALE 2004 = G. DI PASQUALE, *Tecnologia e meccanica. Trasmissione dei saperi tecnici dall'età ellenistica al mondo romano*, Firenze 2004.

DUMBABIN 1978 = K. M. D. DUMBABIN, *The mosaics of roman North Africa*, Oxford 1978.

FOUCHER 1960 = L.FOUCHER, *Inventaires des mosaiques: Fouille 57 de l'Atlas Archéologique. Sousse, Tunisia et Tunis*, Tunis 1960.

HARDEN 1988 = D.B. HARDEN, *Vetri dei Cesari*, Milano 1988.

HEALY 1978 = J. F. HEALY, *Mining and Metallurgy in the Greek and Roman World*, London 1978.

KENT-DODD 1961 = J.P.C. KENT - E. C. DODD, *Byzantine Silver Stamps with an excursus : Comes Sacrarum Largitionum*, Washington 1961.

KRANZ 1984 = P. KRANZ, *Jahrenszeiten Sarkophage*, Berlin 1984.

LARESE 2000 = A. LARESE, *Il cosiddetto maestro della coppa di Daniele*, in "*Annales du 14^ congrès de l'A.I.H.V. (Venezia - Milano 1998)*", Lochem 2000, pp. 117-121.

MASSABÒ - PAOLUCCI 2003 = B. MASSABÒ - F. PAOLUCCI, *I vetri incisi*, in "*387 d.C. Ambrogio e Agostino. Le sorgenti dell'Europa*", a cura di P. Pasini, Milano 2003, pp. 183-188.

MUTZ 1983 = A. MUTZ, *Römische Waagen und Gewichte aus Augst und Kaiseraugst*, Augst 1983.

PAOLUCCI 1997 = F. PAOLUCCI, *I vetri incisi dall'Italia settentrionale e dalla Rezia*, Firenze 1997.

PAOLUCCI 2002 = F. PAOLUCCI, *L'arte del vetro inciso a Roma nel IV secolo d.C.*, Firenze 2002.

PIRZIO BIROLI STEFANELLI 1990 = L. PIRZIO BIROLI STEFANELLI (a cura di), *L'argento dei Romani. Vasellame da tavola e d'apparato*, Roma 1990.

ROTTLOF 2001 = A. ROTTLOF, *Spätantike Repräsentationkunst in Süddeutschland*, in *Ausburger Beiträge zur Archäologie. Sammelband 2000*, a cura di L. Bakker, Ausburg 2001, pp. 123-160.

SENA CHIESA 1990 = G. SENA CHIESA, *Milano capitale dell'impero romano, 286-402*. Catalogo della mostra, Milano 1990.

STERNINI 1995 = M. STERNINI, *Il vetro in Italia tra V e IX secolo*, in "*Le verre de l'antiquitè tardive et du Haut Moyen Age*", Guy-en-Vixin 1995,pp.243-289.

STRONG 1966 = D.E.STRONG , *Greek and Roman Gold and Silver Plate*, Glasgow 1966.

TARPINI 2001= R. TARPINI, *Bilance e stadere*, in "*Pondera. Pesi e misure nell'antichità*", a cura di C. Corti - N. Giordani, Modena 2001, pp. 179-190.

TEDESCHI 1991-92 = A. TEDESCHI, *Il vetro dei vicennalia dell'Antiquarium comunale di Roma: una nuova proposta di lettura*, in *Bcom*, XCIV,1,1991-92, pp. 33-50.

VOLBACH 1976 = W. F. VOLBACH, *Elfenbeinarbeiten der Spätantike und des frühen Mittelalters*, Mainz 1976.

WALTZING 1895-1900 = J.P.WALTZING, *Corporations professionelles chez les romains*, voll. I-II, Lovanio 1895-1900 (rist. anastatica, Roma 1968).

WEITZMANN 1978 1978 = K. WEITZMANN (ed.), *Age of Spirituality. Late Antique and Early Christian Art - Third to Seventh Century*, New York 1978.

Finito di stampare in Roma nel mese di settembre 2006 per conto de
«L'ERMA» di BRETSCHNEIDER
dalla Tipograf S.r.l.
via Costantino Morin 26/A